Votre
enfant
et les
DROGUES

Dr Ross Campbell

Votre enfant et les DROGUES

Titre en anglais
Your Child and Drugs

Diffusion pour l'Amérique:

Publications ORION Inc.,
C.P. 1280, RICHMOND, (Québec)
Canada J0B 2H0
Tél.: (819) 848-2888

Diffusion pour l'Europe:

DIFFUSION-EXPRESS
Chemin du Serre Blanc
Boisset-et-Gaujac
30140 ANDUZE France
Tél.: 66 61 67 66

Publications ORION Inc.,
C.P. 1280, RICHMOND, (Québec)
Canada J0B 2H0

ISBN 2-89124-016-2

Traduit de l'anglais par Danièle Starenkyj

Dépots légaux — 1er trimestre 1989
Bibliothèque nationale du Québec
Bibliothèque nationale du Canada

Du même auteur
aux Publications ORION :

Comment vraiment aimer votre enfant
L'adolescent, le défi de l'amour inconditionnel

Préface

Ce livre est en partie, le résultat de mes nombreuses années d'expérience en tant que médecin thérapeute familial. Il s'adresse aux parents et à quiconque s'occupe, de près ou de loin, d'enfants. Par contre, il ne s'adresse pas seulement aux parents des enfants qui touchent à la drogue : Si votre enfant a eu suffisamment de chance pour échapper à cette séduction, ce livre est quand même pour vous; si votre enfant n'a que trois ans mais que vous désirez pour lui une vie dégagée de l'enchaînement aux drogues, ce livre est certainement pour vous; si vous attendez avec impatience la naissance de votre premier enfant, ce livre est sans contredit pour vous.

En effet, si vous désirez comprendre ce que vous pouvez faire afin de corriger un problème actuel de drogue chez votre enfant ou si vous voulez éviter qu'il n'en survienne un, vous devriez, en réalité je devrais dire, vous devez connaître le contenu de ces chapitres. La lecture, la compréhension et la mise en pratique des enseignements de ce livre peuvent aider votre enfant, mais aussi vous-même et toute votre famille, à vivre sans drogues et à expérimenter de véritables sommets dans vos relations humaines.

D'une manière aussi claire et précise que possible, j'ai essayé d'exprimer par écrit les causes de l'usage et de l'abus des drogues. De nombreux parents ont tendance à prendre sur eux toute la responsabilité du problème de leur enfant qui se drogue ou encore à la placer en totalité sur les copains ou sur la société. Les parents, les copains et la société jouent tous un rôle dans la décision que prend un enfant de toucher ou de ne pas toucher à la drogue, mais il est impossible de ne pointer qu'une seule et unique cause à ce phénomène.

Peu de gens ont une juste notion de *toutes* les raisons profondes qui mènent à l'usage des drogues et ils ignorent le rôle que jouent dans ce cheminement macabre la dépression, l'anxiété, la colère et les maladies mentales et neurologiques. C'est ce manque de compréhension globale d'un problème extrêmement complexe qui empêche les parents mais aussi de nombreux professionnels d'offrir aux enfants qui se droguent une aide efficace. Il m'arrive trop souvent de recevoir en consultation un enfant dont la dépendance physique a été traitée alors que les motifs réels de son problème ont été totalement ignorés. Cet enfant semble avoir été aidé. Il a été désintoxiqué mais, très bientôt, au grand désespoir de ses parents, il rechute à nouveau.

Dans ce livre, je vous propose une approche efficace grâce à un double diagnostic qui va chercher à découvrir *toutes* les causes possibles de l'usage des drogues chez un enfant. Cette façon de procéder m'amène à considérer que le problème de drogue de l'enfant est aussi un problème familial. Ce programme d'évaluation et de traitement du cas est conçu dans le but de bâtir des liens familiaux étroits et d'aider l'enfant à trouver un sens à sa vie et une plénitude, sans qu'il n'ait plus jamais besoin d'avoir recours à la drogue.

Dans ce livre, je cherche également à vous donner un guide détaillé qui vous permettra de rechercher de l'aide compétente pour résoudre le problème de drogue de votre enfant. Je vous explique de plus pourquoi les enfants, et même les enfants des «meilleures» familles, un jour peuvent goûter à la drogue. Je vous expose aussi comment, en tant que parent, vous pouvez empêcher cette dangereuse rencontre.

La toxicomanie stupéfiante est devenue en Occident un phénomène extrêmement grave, et quand c'est votre enfant qui en est touché, elle devient une tragédie personnelle. J'ai écrit ce livre afin de vous aider à aider votre enfant à mettre fin ou à éviter le désarroi indescriptible dans lequel se trouve aujourd'hui la masse des drogués.

Dr Ross Campbell, psychiatre.

Quelques définitions essentielles

Avant de commencer à lire ce livre, j'aimerais que vous soyez au courant de certains termes et que vous en compreniez la signification.

Anxiété: une malaise psychique caractérisé par une crainte diffuse, un sentiment d'insécurité, de malheur imminent. Il est également accompagné de sensations physiques (le cœur bat vite, le souffle est court, la gorge reste serrée) et survient en général comme une réponse au stress.

Autoritarisme: comportement qui exprime le commandement, qui n'admet pas la contradiction, qui exige une obéissance aveugle et qui ne laisse pas à un individu une liberté personnelle de jugement et d'action.

Autorité: droit de commander, pouvoir d'imposer l'obéissance.

Biochimie du cerveau: partie de la chimie qui traite de la composition et des réactions chimiques qui interviennent dans le cerveau.

Comportement passif-agressif: colère rentrée qui va s'exprimer d'une façon négative et donc destructrice.

Colère: réaction affective de grande intensité, un violent mécontentement qui surgit à la suite de blessures morales ou physiques, d'actes d'injustice, de mépris, d'abandon, de trahison, etc. et qui va être accompagnée d'agressivité qui cherchera à se retourner contre la source ou la cause de ce sentiment.

Dépendance: survenue de manifestations de détresse à l'arrêt brutal de la drogue.

Dépression: état mental pathologique caractérisé par de la lassitude, du découragement, de la faiblesse, de l'anxiété et le sentiment de ne pas valoir grand-chose.

Drogue: nom donné aux innombrables produits utilisés par les toxicomanes. C'est une substance toxique qui agit sur le système nerveux et dont l'usage provoque des perturbations graves physiques et mentales et un état de dépendance et d'accoutumance.

Dyslexie: trouble de l'apprentissage scolaire qui se manifeste par de la difficulté à lire ou à comprendre ce que l'on lit à voix basse ou haute et ce, en dehors d'un retard intellectuel. L'enfant confond les lettres, les invertit, les omet ou les substitue.

Métabolisme: ensemble des transformations chimiques et physico-chimiques qui s'accomplissent sans arrêt dans tous les tissus vivants, par lesquelles les aliments assimilés sont transformés en énergie.

Neurologie: branche de la médecine qui étudie l'anatomie, la physiologie et la pathologie du système nerveux et qui traite des maladies du système nerveux.

Neurotransmetteurs: hormones du système nerveux central situées dans le cerveau, dont le rôle est de transmettre les impulsions électriques d'une terminaison nerveuse à une autre.

Psychomoteur: qui concerne à la fois les fonctions motrices et psychiques.

Psychose maniaco-dépresive: synonymes: cyclothymie, psychose périodique, psychose bipolaire. Trouble grave de la personnalité qui fait alterner les périodes d'excitation (il y a alors instabilité et euphorie) et de dépression (il y a alors apathie et mélancolie). Ces périodes peuvent être séparées par des intervalles de normalité plus ou moins longs. Ce trouble peut à l'occasion se présenter avec seulement l'état maniaque ou seulement l'état dépressif.

Somatique: qui concerne le corps, opposé à psychique.

Toxicité: dose mortelle minimale d'une substance qui agit comme un poison.

Toxicomanie: un état d'intoxication engendré par la prise de substances toxiques qui crée une dépendance psychique et physique à l'égard de ses effets. La dépendance conduit à des dégradations pathologiques diverses souvent mortelles.

Toxicophobie: usage et abus d'une drogue au point qu'elle devienne pour l'individu une panacée universelle et/ou le centre même de la totalité des activités de sa vie.

Trouble de la personnalité à la limite du pathologique: altération profonde du moi, résultant d'une structuration défectueuse de celui-ci («stade du miroir brisé»*). L'enfant qui a subi une brisure n'arrive pas à avoir une claire notion de ce qu'il est et il est caractérisé par une instabilité et des changements d'humeur drastiques qui en font un individu impulsif et par moment, selon toute apparence, psychotique.

---

* «Le stade du miroir brisé» se situe entre le stade du miroir impossible chez l'enfant psychotique et le stade du miroir réalisé chez l'enfant normal. On appelle «stade du miroir» les premières identifications par l'enfant de son individualité à travers l'image que lui renvoie le miroir. L'enfant arrive à comprendre qu'il est à la fois semblable et différent des autres.

1

La «drug culture»

«*Ils m'ont planté sur la scène et ils
m'ont dit: Chante! J'avais cinq ans et je
voulais tellement leur faire plaisir... J'ai
regardé l'océan de visages qui s'étendait à
mes pieds et je fus horrifié. Un homme m'a
descendu de là et je me suis précipité vers
ma mère. Si je me souviens bien, ce fut la
première des nombreuses fois où j'ai senti
que je ne répondais pas et que je ne pouvais
pas répondre à l'attente des autres, ni à la
mienne.*»

Jo, 17 ans, alcoolique et drogué

Commençons par un petit questionnaire qui vous
permettra de faire le point sur vos connaissances sur
la drogue. Répondez vrai ou faux à chaque question,
puis vérifiez vos réponses à la fin de la lecture de ce
chapitre.

Vrai   Faux

——— ——— 1. Une première prise de drogue est inoffensive car elle n'est pas génératrice de dépendance. Au contraire, elle provoque l'indifférence aux drogues.

——— ——— 2. Les jeunes des années 60 ont fait un plus grand usage de drogues que les jeunes d'aujourd'hui.

——— ——— 3. La plupart des enfants ne s'intéressent pas aux drogues tant qu'ils n'ont pas atteint 15 ou 16 ans.

——— ——— 4. La nicotine est une des substances toxiques qui entraîne la plus grande dépendance physique et psychique chez l'être humain.

——— ——— 5. Quand ils ont besoin d'aide, c'est vers leurs copains et non vers leurs parents que les jeunes se tournent généralement.

——— ——— 6. Si vous recherchez trop rapidement de l'aide professionnelle pour votre enfant qui se drogue, vous risquez d'aggraver la situation.

Maintenant que vous avez fait ce petit test, laissez-moi vous présenter trois personnes dont je vais beaucoup vous parler.

Johnny Alton est un beau grand garçon de 15 ans. Par des coups secs et répétés de la tête, il est constamment en train de chasser ses longs cheveux noirs qui tombent sur ses yeux. Il n'aime pas l'école et seul son cours de photographie lui plaît. Il aime jouer de la guitare.

«Dr Campbell, saviez-vous que mon père cache sa boisson sous les couvertures qui se trouvent sur l'étagère de l'armoire de sa chambre? Je le vois constamment monter là-haut et prendre un coup. Il ne sait pas que je le vois, mais quand maman trouve ses bouteilles, c'est moi qu'elle accuse. Puis mon père me dit: — Eh! Johnny, tu t'es remis à boire? Ma mère s'en mêle et tous les deux se mettent à me crier après. Ma mère m'accuse parce qu'elle n'aime pas l'idée que mon père puisse boire. Mais, je vous assure que je ne bois pas. Je peux trouver beaucoup mieux que ça pour me stimuler.»

Ce sont des professeurs inquiets de Johnny qui ont insisté auprès de ses parents pour qu'il se fasse traiter. Sa mère est bien d'accord, mais son père ne veut rien entendre. Il y a trop de vérité qui éclaterait s'il devait s'en mêler.

Larry Schmidt a 16 ans et il est en train de parler à son copain dans la cantine de l'école qu'ils fréquentent tous les deux:

«Je viens de monter en grade à la boulangerie de ce magasin où je travaille.

— Formidable, lui répond son ami, maintenant tu vas vraiment pouvoir faire du pain.

— Ce que tu es drôle, ricane Larry, ce que je vais pouvoir faire maintenant, c'est économiser plus d'argent pour acheter de la meilleure herbe.»

Tandis que Larry se penche pour ramasser un crayon qu'il vient d'échapper, deux pilules blanches roulent hors de la poche de sa chemise. Quatre ou cinq gamins se pressent autour de sa table.

«Eh! gommeux, tu as des amphétamines. Donne-nous en un peu.

— Pas question, les amis. J'ai passé toute la nuit debout et il me faut maintenant quelque chose pour me garder réveillé toute la journée. Mais je pourrai peut-être vous en procurer. Venez me rencontrer chez Al, après la classe.»

Evelyn Williams est la maman de deux jeunes adolescentes. Elle est divorcée depuis peu et elle est obligée de gagner sa vie. Elle fréquente l'église à l'occasion et amène avec elle une de ses filles ou parfois, les deux. Il y a deux ans, son médecin lui a prescrit une faible dose de Valium pour l'aider à supporter le choc d'une opération chirurgicale importante puis celui de la perte de son emploi.

Peu de temps après qu'Evelyn ait commencé à prendre du Valium, Peggy, sa fille de 14 ans encore toute mignonne avec sa queue de cheval, est arrivée en larmes de l'école.

«Oh! maman, lui dit-elle bouleversée, je n'ai pas été choisie comme majorette pour représenter ma classe et je pense que je vais en mourir.

— Bon, ça va, calme-toi. Je vais préparer le repas et faire ton menu favori, lui répondit sa mère.

— C'est ça, tout ce à quoi tu peux penser en ce moment si affreux pour moi, c'est à faire à manger, hurla Peggy. Je n'ai même pas envie de manger!»

Sur ce, elle se précipita dans sa chambre et s'y enferma en claquant la porte. Evelyn fut peinée de voir sa fille si bouleversée. De plus, elle n'avait pas envie d'histoires en ce moment. Connaissant l'effet calmant de son Valium, elle en donna un comprimé à Peggy: «Allez tiens, prends. Bientôt, tu vas te sentir mieux.»

Cela devint rapidement une habitude. Chaque fois que Peggy avait un problème, la solution toute prête était une pilule. Ce geste banal en apparence, conduisit Peggy à augmenter les doses de ce médicament puis à essayer d'autres drogues et finalement à la toxicomanie. Évidemment, Evelyn n'avait pas prévu une telle escalade quand, au lieu de prendre le temps de parler avec sa fille et de la consoler, elle lui avait offert son tranquillisant.

Je reviendrai d'ici quelques pages à Johnny, Larry, Evelyn et Peggy mais considérons tout d'abord quelques dures réalités du monde de la drogue.

Goûter à la drogue

L'essai d'une drogue illicite est un jeu dangereux car il conduit très souvent à une toxicomanie qui met la vie en danger. À l'âge de 18 ans, environ 60 p. 100

des jeunes d'aujourd'hui auront goûté à la drogue, ce qui constitue une augmentation de 6000 p. 100 en 20 ans. Dans les années 60, moins de 1 p. 100 des jeunes américains avait essayé le cannabris ou une autre drogue illicite. Maintenant fumer un joint est devenu une sorte de rite de passage dans l'adolescence. Pensez à cela: L'âge moyen du premier contact avec la drogue est tombé de 19 ans dans les années 60 à 12 ans pour les enfants des années 80. Aujourd'hui quand des jeunes disent: «Faisons la fête», cela signifie qu'ils vont se griser avec de l'alcool et des drogues. En ce moment, 40 p. 100 des adolescents américains sont des utilisateurs «sociaux» ou réguliers des drogues et la majorité d'entre eux souffrent déjà d'une dépendance totale aux drogues. Chaque jour, 10 p. 100 des seniors des High Schools (âge théorique 15-17 ans) arrivent à l'école complètement «gelés». Parmi tous les enfants qui font l'école buissonnière et qui abandonnent l'école secondaire, 50 p. 100 sont des usagers réguliers de drogues illicites[1].

Ces jeunes transportent avec eux leur triste habitude sur le marché du travail et au service militaire. C'est ainsi que 10 p. 100 de la main-d'œuvre en Amérique fait un usage abusif d'alcool et de drogues et l'on a déjà enregistré une baisse de la productivité et de la sécurité nationales directement reliée à ce phénomène[2].

Il y a dix ans, j'aurais pu dire qu'un essai limité des drogues n'était pas trop dangereux. J'aurais pu dire avec assez d'assurance que ces enfants qui pour le moment goûtaient à la drogue, mûriraient bientôt, qu'ils cesseraient d'en utiliser et qu'ils finiraient par mener des vies saines et productives. Il n'en est plus ainsi aujourd'hui. Avec la survenue du crack qui produit des effets aussi brefs que violents et une dépendance quasi-immédiate qui devient totale en six semaines (ou une morte subite), on ne peut plus jouer à essayer la drogue. Par ailleurs, sans même faire usage de crack, un adolescent peut devenir dépendant de n'importe quelle drogue dans l'espace d'un seul été. Enfin, comme les jeunes développent une dépendance beaucoup plus rapidement que les adultes et que plus on est jeune plus on devient vite «accroché», il n'y a absolument pas moyen d'ignorer encore les effets potentiellement désastreux d'un simple essai de la drogue.

Les professeurs sont inquiets. Ils voient régulièrement de magnifiques jeunes sains d'esprit et de corps, quitter leur classe à la fin d'une année scolaire pour revenir à l'automne les yeux vitreux, complètement drogués.

Ces jeunes ne réalisent pas que toute substance licite ou illicite qui produit des changements dans le système nerveux endommage également ce système. *Il n'y a aucune exception à cette règle.* Il n'existe pas de drogues qui ne produisent pas des effets somatiques multiples liés au produit, à son usage chronique, à son mode d'introduction dans le corps ou même au comportement addictif: ce sont de graves dangers de déchéance physique et psychique et des risques élevés de contracter des maladies virales incurables comme l'hépatite et le SIDA.

Le chemin qui mène aux drogues

Les jeunes qui font usage de toxiques descendent en général tous la même pente, de la même façon. On a établi qu'il y a hors de tout doute, à notre époque, une corrélation directe entre l'usage des drogues licites et celui des drogues illicites:

• 85 p. 100 des enfants qui se mettent à fumer, deviennent dépendants à la nicotine dès qu'ils ont fumé aussi peu que 5 à 10 cigarettes. De ces enfants-là, 81 p. 100 ajouteront à leur besoin de fumer du tabac, le désir de toucher à la marijuana. Par contre, seulement 21 p. 100 des non-fumeurs de tabac fumeront de la marijuana;

• fumer du cannabis est le tremplin vers les drogues dures car 67 p. 100 des usagers de cannabis se tournent vers d'autres drogues, la cocaïne entre autres, alors 98 p. 100 des adolescents qui ne touchent pas au cannabis ne font pas non plus l'essai d'autres drogues;

- les jeunes filles qui font usage d'anorexigènes (pilules coupe-faim)[3] vont aussi faire usage de drogues illicites;

- la probabilité d'essai d'une drogue illicite est trois fois supérieure parmi les étudiants qui ont pris des médicaments psychotropes que chez les autres;

- un adolescent qui boit, court 2 à 3 fois plus de risque de devenir un alcoolique qu'un adulte qui boit.

Cette vulnérabilité s'explique par l'immaturité des systèmes métabolique et neurologique des jeunes. Tant que leur maturité n'est pas atteinte, et il faut pour cela attendre 23 ans pour les garçons et 19 ans pour les filles, le corps n'arrive pas à métaboliser correctement l'alcool. De plus, un jeune qui boit endommage son cerveau et son corps car cette substance entrave la croissance et donc la maturité de ces organes[4].

L'alcool est une drogue mortelle. Elle a des effets délétères et attaque le système nerveux, oui, mais son aspect le plus dangereux est que c'est une drogue légale et acceptée par la population adulte. Prendre de l'alcool tous les jours n'est-il pas considéré comme normal dans notre société?

L'alcool est une drogue subtile. La majorité des alcooliques ne se rend pas compte qu'elle a un problème et ses amis non plus. Nos enfants croient que boire est normal car ils voient les adultes boire. Il y a de l'alcool partout: dans les magasins, à la télévision, au cinéma on vend, on annonce, on vante et on boit de l'alcool. À l'écran, le petit et le grand, les gens chics, jeunes, beaux et riches n'ont-ils pas toujours un verre à la main, une cigarette à la bouche? Pourtant, l'alcool n'est pas une drogue moins dangereuse que les autres. L'alcool détruit le corps, obnubile le cerveau et raccourcit une vie qu'il a rendu infernale.

Essayer, c'est être accroché

Les enfants qui se mettent à fumer s'exposent à la nicotine, cette substance chimique qui entraîne une assuétude des plus fortes. Bientôt ils développent une tolérance qui entraînent une dépendance. Plus ils fument, plus ils ont besoin de fumer et cette habitude est extrêmement difficile à briser. Plus l'enfant se met à fumer tôt, plus il court de risque de subir des dommages physiques. On sait qu'en plus d'encourager très fortement l'usage d'autres drogues, le tabac conduit aussi au cancer des poumons, de la gorge et de la vessie[5].

Les jeunes qui font l'essai de la marijuana détruisent également leur corps. Grâce à l'amélioration des techniques de culture, on produit aujourd'hui une plante aux effets cinq fois plus puissants qu'il y a dix ans. Or à faibles doses, les cannabinoïdes produisent une combinaison d'actions stimulantes et d'actions dépressives mais, à doses plus élevées, l'action dépressive sur le système nerveux central devient dominante. L'intoxication à la marijuana a des effets durables car l'élimination complète du THC est assez longue. Il faut 4 à 5 jours pour en éliminer la moitié. On trouve encore des métabolites du THC dans les tissus riches en lipides (le cerveau) jusqu'à 30 jours après une prise unique et ceux-ci s'accumulent en cas de prises régulières. Cette plante comporte 426 composés chimiques dont plus de 60 sont des cannabinoïdes. Ce sont des composés liposolubles (ils diffusent dans la cellule nerveuse) hydrophobiques (ils n'en sortent que très difficilement) qui sont à l'origine des effets caractéristiques de la drogue: troubles du caractère et de l'humeur, syndrome «amotivationnel», diminution des facultés intellectuelles et de mémoire, altérations des performances psychomotrices qui entraînent de multiples accidents[6].

Beaucoup de gens voudraient croire que la première prise d'une drogue n'est pas génératrice de dépendance. Pourtant de nombreux faits démentent cette croyance populaire[7]. C'est ainsi qu'aucun parent ne doit *en aucun cas* se fermer les yeux lorsqu'il est amené à soupçonner que son enfant est en train de toucher à la drogue. Je sais très bien qu'il est souvent difficile de parler avec les jeunes et je ne vous conseille absolument pas de leur tomber dessus en leur disant: «Tu prends de la drogue. Tu as besoin d'aide.» Ces pauvres gosses ont tellement peu confiance en eux-mêmes, qu'ils n'ont pas besoin que des parents bien intentionnés les accusent en plus de prendre de la drogue.

Pour beaucoup d'adolescents, les premières années de leur puberté sont extrêmement difficiles à vivre. C'est une période de croissance accélérée et tout change en eux. Ils se sentent bizarres avec leur voix éraillée, leurs poils qui apparaissent ici et là et leurs boutons qui les désespèrent. Ils sont souvent très inquiets, surtout si tous ces bouleversements se produisent trop tôt ou trop tard.

Il ne faut donc pas encore les bousculer avec des soupçons exprimés sans tact. Le mieux — si vous craignez que votre enfant est en train de toucher à la drogue — est de vous mettre progressivement à parler de la drogue. Demandez à votre adolescent ce qu'il en pense ou s'il a jamais subi des pressions pour qu'il en prenne. Si une telle conversation le met sur la défensive, il est nécessaire que vous vous mettiez à examiner la situation de plus près. Essayez de faire la connaissance de tous ses copains et soyez au courant de toutes ses allées et venues.

De toute façon, c'est là votre devoir de parent et c'est aussi là le désir véritable et profond de votre enfant. Oui, les adolescents veulent que leurs parents s'occupent d'eux mais, soyez en sûr, ils ne vous le diront pas. Au contraire, ils feront tout pour vous faire croire exactement l'opposé. C'est à vous de comprendre que leurs refus de vous voir, de sortir avec vous ou de vous parler ne sont que des appels au secours. L'adolescence est une période souvent pénible pour tous, mais il faut passer par là pour en sortir!

Une adolescence bien vécue est un prérequis à la naissance d'un adulte équilibré. Quel malheur lorsqu'un enfant — et c'est peut-être le vôtre — choisit de vivre cette période de sa vie sous l'anesthésie des drogues. Il ne fait que retarder ou inhiber pour de bon le processus qui doit le mener à la maturité.

N'attendez pas plus longtemps pour vous mettre à parler de la drogue avec votre enfant. Il n'est pas nécessaire d'attendre qu'il soit un adolescent. Un vieux

proverbe plein de sagesse ordonne: «Enseigne à l'enfant
la voie qu'il doit suivre et quand il sera vieux, il ne s'en
détournera pas[8].» Il est facile et très important de parler
des drogues à votre enfant mais n'insistez pas trop non
plus. Attrapez une occasion au vol: un programme à
la télévision, une nouvelle du monde des sports qui
met en vedette un athlète disqualifié parce qu'il s'est
drogué, et commencez une conversation calme sur le
sujet. Dites à votre enfant combien il est précieux pour
vous, combien vous l'aimez, combien il est important
au sein de votre famille et qu'il vous est impossible
d'envisager que la drogue un jour, contrôle sa vie. Faites
bien attention de ne pas vous emballer et de prendre
un ton accusateur. Ne menacez pas votre enfant avec
des phrases insensées telles que: «Je ne te parlerai
plus jamais de toute ta vie ou je te casserai la figure
si je t'attrape en train de toucher à la drogue.» Ce genre
de menaces est une invitation aux problèmes car elles
sont insensées et ne pourront jamais être exécutées.
Votre enfant le sait bien, et s'il décide de tester votre
parole, vous êtes mal pris. Faites attention, on n'éduque
pas un enfant en lui disant des bêtises calculées pour
lui faire peur. Votre enfant, c'est presque certain, n'aura
pas (ou pas très longtemps) peur mais il sera très en
colère et il le restera très longtemps.

Aucun enfant n'est immunisé.

Que nous voulions l'admettre ou non, nous sommes
une culture centrée sur les drogues, les douces, les
dures, les licites et les illicites. Si vous avez un adolescent, d'une manière ou d'une autre, tôt ou tard, il
sera confronté à ce problème. Il y aura les copains qui,
s'ils ne le forcent pas à prendre de la drogue, peuvent
quand même être la cause de sa première rencontre
avec elle. Puis il y a l'homme tiré à quatre épingles
assis au volant de sa grosse voiture stationnée dans
une rue étroite ou l'affreuse bande de l'autre côté de
la ville qui peuvent l'inciter à toucher à la mystérieuse
poudre. Mais, ne vous y trompez pas, votre enfant fera
fort probablement sa première rencontre avec la drogue
au sein de votre propre famille: on y fume, on y boit

alcool, café, thé et chocolat, on y prend des pilules pour dormir, pour se calmer, pour se stimuler... Et un jour le brave oncle Henry juste pour s'amuser offrira à votre jeune de 13 ans (ou de 10 ans ou de 8 ans) un whisky qui l'enivrera et fera rire tout le monde... Il faut regarder la situation en face: votre enfant vit au milieu d'un océan de drogues. Comment peut-il rester indemne?

Il n'y a pas longtemps un de mes amis m'a raconté qu'il a trouvé une jeune fille couchée en travers de l'entrée de son garage alors qu'il revenait du bureau. Il ne sut trop quoi en penser puis il se dit qu'elle devait chercher à faire une plaisanterie à une de ses filles. Il les appela alors pour leur dire que quelqu'un était dehors mais, avant même qu'il ait terminé, l'une d'elles s'écria: «Oh! non, papa! Je viens juste de lui parler, il y a une minute, au téléphone et je lui ai dit de se mettre au lit et de m'attendre; que je serai là sous peu. Elle est ivre. Elle m'a dit qu'elle a bu une quantité terrible de boisson qu'elle a trouvée dans le bar de son père.»

Mon ami et sa fille se sont précipités dehors et ils ont fait rentrer la gamine dans la maison. Puis mon ami a téléphoné à la mère de cette fille pour la mettre au courant de la situation. Il était vraiment inquiet pour sa santé. Elle n'a que 14 ans et elle avait dû boire vraiment beaucoup d'alcool car il avait été presque impossible de la faire marcher ou parler.

Pensif, mon ami m'a dit: «Je ne comprends pas ce qui a pu l'amener à faire une chose semblable. Cette enfant a tout ce qu'elle veut. Ses parents travaillent tous les deux et ils lui donnent tout ce qu'elle désire.»

En réalité, il était bouleversé qu'une telle chose arrive à une amie de sa fille. Il était sous l'impression que l'usage et l'abus des drogues affectaient les autres, mais ne toucheraient jamais sa famille. Il était en plus extrêmement confus que sa fille soit amie avec quelqu'un qui pouvait avoir accès à de l'alcool et se soûler.

Est-ce la faute des copains?

Kim, une jolie adolescente aux yeux bleus, était assise dans mon bureau, très tendue sur sa chaise.

«Comment vont les choses? lui dis-je dans une tentative d'ébauche d'une conversation avec elle.

— Oh! ça va, me répondit-elle tranquillement, seulement il y a maman et moi, bien, on se dispute beaucoup au sujet de ma meilleure amie Sarah.»

Kim venait à ma clinique une fois par semaine, depuis trois semaines, et j'avais tout de suite remarqué qu'elle avait beaucoup de difficultés à exprimer ses sentiments. Elle redevint silencieuse.

«Je sais très bien écouter, repris-je, si tu veux me dire quelque chose. Peut-être qu'à nous deux, on pourra trouver un truc qui vous aidera ta mère et toi.

— Elle pense que Sarah m'a forcée à boire et elle ne veut plus que je la fréquente.»

Après avoir lancé cette phrase, elle me regarda en implorant ma pitié.

«Dr Campbell, je vous l'assure, Sarah ne boit pas et elle ne touche à aucune drogue. Mais je n'arrive pas à le faire croire à ma mère. Comment puis-je m'y prendre?»

L'histoire de Kim est malheureusement typique. Il est populaire de croire aujourd'hui que les jeunes se mettent à boire ou à prendre des drogues à cause des copains. «Il a de mauvaises fréquentations» dit-on, en coulisse. Pourtant, si vous demandez à un enfant qui connaît les problèmes de la drogue, si les copains sont la cause des essais avec la drogue, il vous répondra que non. Kim savait très bien que ce n'était pas son amie Sarah qui l'avait forcée à boire. Bien sûr, les deux filles étaient au courant qu'il y avait de l'alcool dans leur groupe d'amies, mais personne ne forçait personne à en prendre. C'est Kim qui avait découvert, en y goûtant, que l'alcool lui faisait du «bien». Il neutralisait les sentiments de tristesse et de solitude qu'elle ressentait.

Vous voyez Kim a un problème sous-jacent: elle est en dépression mais ni elle ni ses parents ne sont au courant de son problème profond. Ces derniers ont donc trouvé pratique de mettre sur le dos de l'amie de leur fille tout le blâme pour sa consommation d'alcool. Mais il faut comprendre la véritable version de cette histoire: Kim se sentait abattue. C'est ainsi que des copines lui ont suggéré que quelques verres lui permettraient de se sentir mieux. Personne ne l'a forcée. Les copains étaient tout simplement là et les copains sont tellement plus souvent «là» que les parents quand le besoin ou la curiosité se font sentir de prendre des drogues... Le «besoin» de Kim est né à la suite d'une incapacité prolongée de communiquer avec ses parents. Elle se sentait ainsi seule, isolée, et c'est cet état d'esprit qui a fait d'elle une candidate de premier choix pour l'essai des drogues.

Fort heureusement pour Kim, ses parents ont pris conscience de son problème. Toute la famille est venue en consultation et nous faisons de grands progrès au fur et à mesure que nous dissipons de nombreux malentendus. La famille de Kim est à nouveau en train de faire connaissance et sa mauvaise expérience avec l'alcool devrait bientôt être chose du passé.

La plupart des adolescents sauront vous dire que de blâmer les copains est un moyen de déplacer le conflit à l'extérieur. C'est une façon de s'en tirer à bon marché et de se déculpabiliser. Il est très facile de dire: «C'est Bill qui m'y a poussé.» L'usager des drogues raffole de cette excuse et ses parents aussi. Elle leur permet à tous de ne pas se sentir coupables ni en aucun cas responsables du problème et tout le monde rentre à la maison un petit peu soulagé. Malheureusement cette excuse passe-partout peut empêcher la découverte d'une cause grave de l'usage des drogues comme les problèmes neurologiques. Ceux-ci, plus souvent qu'on ne le pense, sont une raison importante pour l'usage des drogues parmi les jeunes.

Une étude émanant du Search Institute a démontré en 1984 que les copains prennent peu à peu de plus en plus d'importance dans la vie d'un jeune adolescent. Cette étude a aussi affirmé que les adolescents en général, recherchent leurs copains, s'y accrochent et sont traumatisés lorsqu'ils ne peuvent être ensemble.

Cette information a reçu depuis une vaste publicité et on en a tiré deux conclusions erronées: la première qui affirme que l'influence des copains est une menace au développement normal et sain de l'adolescent et la deuxième qui déclare que les enfants abandonnent leurs parents pour leurs copains.

La vérité c'est que les adolescents ont besoin de contacts sociaux avec des jeunes de leur âge car c'est ainsi qu'ils arrivent à énoncer leurs valeurs, à affirmer leur identité sexuelle, à contrôler leur agressivité et à connaître une certaine émulation. Entre bons copains, on peut s'encourager à grandir et à prendre des responsabilités.

Pour ce qui est de l'abandon des parents, il est vrai que les adolescents veulent devenir indépendants et c'est une étape normale et saine de leur développement. Pourtant même si les copains semblent prendre à leurs yeux de l'importance et si les parents semblent en perdre, à aucune période de leur adolescence, les enfants ne cessent de considérer que leurs parents sont plus importants que leurs copains.

Lorsqu'on leur demande vers qui ils se tourneraient pour recevoir de l'aide ou des conseils sur divers sujets, les jeunes interrogés répondent invariablement qu'ils se tourneraient sans hésitation et tout d'abord vers leurs parents avant de se tourner vers leurs copains. La très grande majorité des jeunes trouvent encore aujourd'hui, que de rendre leurs parents fiers d'eux est pour eux plus important que de maintenir certaines amitiés.

Le pourquoi complexe de la toxicomanie

Si donc les enfants veulent que leurs parents soient fiers d'eux, pourquoi prennent-ils de la drogue? Pourquoi 42 p. 100 des 15 à 17 ans américains ne voient aucun risque à prendre 4 ou 5 consommations alcooliques ou plus chaque fin de semaine[9] et 26 p. 100 d'entre eux ne s'inquiètent pas de fumer du cannabis[10]?

La responsabilité de découvrir ou de comprendre pourquoi nos enfants prennent de la drogue nous incombe à nous parents. Nous ne pouvons pas nous permettre plus longtemps de tout mettre sur le dos des enfants des autres (les copains), de faire suivre une cure de désintoxication à notre enfant et de croire que tout est réglé. Il y a une dépendance aux drogues plus profonde que la dépendance physique. C'est là le thème central de ce livre. Lorsque l'on fait face à un problème de drogue, il faut prendre en considération la totalité de l'enfant ainsi piégé et examiner tous les aspects et tous les domaines de sa vie.

Revenons à Johnny Alton. Il souffre de difficultés de l'apprentissage scolaire. Avant que sa mère et lui ne viennent me consulter, elle l'avait amené à un médecin généraliste afin qu'il le guérisse de sa dépendance chimique. Il avait été hospitalisé pendant une semaine puis renvoyé à la maison «guéri». En moins de deux semaines, Johnny s'était remis à prendre des drogues. À l'unanimité tous les parents, tous les toxicomanes et tous les spécialistes vous le diront: Autant la cure de sevrage physique est facile, autant il est difficile de rester abstinent longtemps. Pourquoi? Pourquoi Johnny a-t-il eu si rapidement «besoin» de prendre des drogues à nouveau? Malheureusement personne dans son entourage n'a pensé à poser cette question fondamentale.

Pour Johnny Alton, il est impossible de tout simplement dire «non» à la drogue. Son problème n'est pas tant un problème de dépendance physique qu'un problème très profond de dépendance psychique. Une idole de la chanson américaine, en traitement pour un problème de drogues, a récemment déclaré: «Je réalise maintenant qu'il faut que je comprenne pourquoi, pourquoi est-ce que je me suis tourné vers les drogues, en premier lieu. Cela doit faire partie de ma guérison. Je dois trouver la réponse puis je pourrai dire aux gens: Ça ne vaut pas le coup, n'y touchez pas.»

Il n'est pas facile de mettre le doigt sur le «pourquoi». Cela exige un examen en profondeur de l'enfant, de son dossier médical et scolaire et des conversations précises avec ses professeurs, son pasteur s'il fréquente une église, ses amis et par-dessus tout, ses parents. Tous les aspects de la vie d'un enfant sont affectés par la drogue et pour arriver au bout d'un tel problème, il faut tout prendre en considération. Il faut aussi et *c'est obligatoire*, que les parents s'impliquent dans le programme du traitement de leur enfant pour que celui-ci soit efficace.

Admettre les faits

Croyez-moi, je comprends combien il peut vous être difficile d'admettre que votre enfant a un problème chimique et encore plus difficile d'accepter de suivre avec lui une thérapie. Mais qu'y-a-t-il de plus important qu'une vie saine pour votre enfant?

En général, tous les parents qui font face à ce problème suivent les mêmes étapes: Ils commencent par le nier. On ne peut pas dire que c'est un acte de négation volontaire; c'est plutôt l'expression de leur incapacité à imaginer que leur propre enfant puisse avoir un tel problème. Ne pouvant en croire leurs oreilles ou leurs yeux, ils nient tout simplement la réalité du fait. Ils se mettent à dire des choses comme celles-là: «Mon enfant m'accompagne à l'église presque chaque semaine. Il est absolument impossible qu'il soit ami avec des drogués et pour sûr, lui, il ne touche pas à la drogue.» D'autres parents se mettent à gémir: «Je préférerais qu'il ait un problème psychiatrique. Ça serait plus facile à accepter que cette histoire dégoûtante de drogues.» Ils ne réalisent pas qu'en réalité, leur enfant a un problème psychiatrique. Ce n'est que lorsqu'ils me consultent et qu'ils acceptent le traitement que nous mettons sur pied, qu'ils commencent à comprendre que l'usage de la drogue n'est qu'un symptôme d'un problème beaucoup plus profond.

Puis il y a aussi le fait que d'admettre qu'un de ses enfants a un tel problème est très humiliant pour beaucoup de parents qui se mettent alors à faire du remords et à se sentir très coupables. Ils en perdent l'estime de soi et se tourmentent avec d'incessants: «Comment est-ce possible? Qu'avons-nous fait de mal? Nous sommes totalement incompétents. Comment aider cet enfant?»

Ces questions sont saines car elles révèlent un désir sincère de tendre la main à l'enfant, et au cours de notre thérapie, les parents obtiennent des réponses. De plus, ils découvrent assez rapidement qu'ils ne sont pas la seule et unique cause de la prise des drogues par leur adolescent.

Ainsi lorsqu'une famille accepte de faire face au problème des drogues, lorsqu'elle se met à chercher de l'aide, qu'elle en trouve et qu'elle accepte de suivre un programme adapté à ses besoins, elle sort de cette expérience beaucoup plus saine, beaucoup plus forte, beaucoup plus heureuse. Je vous encourage, je vous exhorte de rechercher immédiatement de l'aide pour votre famille si vous suspectez chez elle un problème quelconque de drogues. Vous ne le regretterez pas car les résultats en seront inestimables.

Trouver de l'aide efficace

Bien sûr, il ne sera pas facile de trouver de l'aide appropriée aux besoins de votre enfant. Il est dommage que trop de centres de traitement des toxicomanies sont prêts à instituer une cure de sevrage sans même chercher à comprendre pourquoi l'enfant a commencé à prendre des drogues. D'autres centres misent tout sur un diagnostic unique, gardent l'enfant pour un certain temps puis le renvoient à la maison «guéri». En un rien de temps, l'enfant reprend des drogues et tout est à recommencer.

C'est vraiment dommage, car des parents soucieux du bien-être de leur enfant ont maintenant perdu du temps et de l'argent et tout cela uniquement pour le voir, à leur grand désespoir, rechuter. Une deuxième ou une troisième reprise des soins, même sous une forme différente, sera plus difficile mais *non impossible.* En effet, la dépendance aux drogues a eu le temps de s'installer, de s'incruster et de devenir un réflexe conditionné. Le simple essai des drogues du début s'est transformé en un comportement toxicomaniaque.

Comme je l'affirmais plus haut, la dépendance

physique et psychique s'installe beaucoup plus rapidement chez un sujet jeune que chez un adulte. Je le répète donc: Il est urgent d'agir vite et bien.

Larry Schmidt est un drogué qui souffre d'une psychose maniaco-dépressive. Il est constamment tiraillé entre des sautes d'humeur qui le font passer de l'exaltation la plus grande à la dépression la plus profonde. Ce problème est congénital. Un enfant naît ainsi. Cependant ce désordre se traite assez facilement et avec une prescription adéquate, l'individu ainsi affecté peut mener une vie assez normale. Par contre, lorsque ce désordre n'est pas dépisté à temps et qu'il reste ainsi sans traitement, il détruit la vie d'un enfant.

Le problème de Larry n'a pas été diagnostiqué. Dès sa première rencontre avec la drogue, il a découvert qu'elle pourrait l'aider à vivre, et il en est rapidement devenu dépendant pour mener son existence quotidienne. Trouver de la drogue pour Larry était une chose facile. Parmi ses copains, il y en avait plusieurs qui en vendaient juste pour pouvoir se payer leur propre consommation quotidienne. Ils n'ont pas eu à forcer Larry pour qu'il en prenne lui aussi. Ils l'ont tout simplement tenté. Et cela fut très facile car Larry était un adolescent souffrant et troublé.

Pour ce qui est de Peggy Williams, sa rencontre avec les drogues fut plutôt déconcertante. L'offre innocente de Valium par sa mère a provoqué chez elle une assuétude totale. Ironiquement, sa mère n'a jamais développé une dépendance au Valium et sur une période de six mois, alors que ses forces physiques et mentales revenaient, elle a complètement cessé d'en prendre.

Lorsque Peggy est venue me consulter, j'ai immédiatement mis sur pied un programme destiné à traiter tous les aspects de sa vie et pas seulement sa toxicomanie. Je vous reparlerai de Peggy en détails et vous pourrez juger de la qualité du programme que vous avez choisi pour votre propre enfant. Je vais également vous présenter les raisons profondes pour lesquelles un enfant se tourne vers les drogues. Si votre famille vit en ce moment un problème de toxicomanie, ne désespérez pas. L'assuétude peut être vaincue. Mes nombreuses années en tant que psychiatre me permettent d'en témoigner. J'ai vu beaucoup de familles surmonter leurs difficultés et rester unies et sobres. Oui, cela peut se faire. Je veux aussi vous indiquer, c'est de la médecine préventive, comment vous pouvez protéger votre enfant du désir de toucher à la drogue. Cela aussi peut se faire.

Par-dessus tout, ne soyez pas trop dur avec vous-même. Le simple fait que vous ayez ce livre entre les mains prouve que vous vous souciez du bien-être de votre enfant. Personne n'est parfait. Tout ce que vous pourriez exiger de vous-même, c'est de faire de votre mieux. Et si votre mieux n'est pas ce qu'il y a de mieux, soyez assez sage pour rechercher de l'aide compétente.

Cette aide compétente vous pouvez la trouver dans une église*, dans votre famille, chez vos amis, parmi les professeurs de votre enfant, chez un psychiatre. En sachant exploiter toutes ces ressources à votre disposition, vous pourrez compter sur une abondance d'aide en période de difficultés. En réalité, une étude récente sur le problème de la drogue en Amérique a déclaré en guise de conclusion[11]: «La dépendance chimique et l'alcoolisme tout particulièrement, sont devenus tellement courants et profondément implantés dans la vie américaine, qu'il semble naïf de penser qu'une seule force isolée (la famille, l'église, l'école, la loi, le gouvernement, les organismes de jeunesse) pourra intervenir avec efficacité.»

Dans notre clinique, nous comptons sur l'aide de chaque personne qui a à faire à notre patient. Nous organisons des rencontres avec les familles; nous donnons des consultations psychologiques sur une base individuelle; nous faisons de la rééducation du langage, de la lecture, etc.; nous prescrivons les médicaments appropriés lorsque le cas l'exige. Nous réalisons qu'une seule personne ne peut pas s'occuper de la totalité des

---

* Certaines églises offrent des thérapies pour cesser de fumer, de boire et de prendre des drogues.

problèmes d'un enfant et c'est pourquoi nous formons une équipe unie composée de psychiatres, de psychologues, de travailleurs sociaux et d'éducateurs spécialisés. C'est ce genre de centre ou de clinique que je vous conseille fortement de chercher et de trouver pour votre enfant. À mon avis, il n'y a pas d'autres moyens valables de traiter un jeune toxicomane.

Je n'entends pas proclamer que j'ai toutes les réponses à toutes les questions, mais je suis convaincu qu'il faut plus d'un spécialiste pour se pencher avec succès sur un adolescent dépendant. La remise sur pied d'une famille exige la collaboration et l'implication de nombreux professionnels compétents et pleins de compassion.

Avant de passer à notre deuxième chapitre qui cherchera à évaluer quel rôle la société joue dans la vie de nos enfants, faisons une petite révision du test que vous avez passé au début de ce chapitre. Avez-vous trouvé nécessaire de modifier certaines de vos réponses?

Comme je vous le disais, il était un temps où goûter à la drogue par simple curiosité n'était relativement pas trop grave. Aujourd'hui cependant, la survenue de nouvelles drogues foudroyantes et le fait déroutant que les jeunes commencent à faire l'essai des drogues à un âge de plus en plus tendre, sont des phénomènes alarmants dont les conséquences sont tragiques. Plus l'enfant se drogue jeune, plus les dégats physiques sont grands et la dépendance psychique forte et puissante. Il n'y a pas à en rire. Il n'y a pas à laisser faire.

Il est urgent que l'on comprenne que la nicotine est une drogue «licite» et que rares sont les enfants qui n'ont pas dans leur parenté immédiate, un adulte qui fume. Or même si nous devions ignorer, oublier ou se moquer de toutes les conséquences malheureuses de la cigarette sur la santé, nous devrions encore réaliser que fumer est sans contredit un des premiers pas vers l'usage des drogues illicites.

De plus, cher parent, veuillez le comprendre: Même si vous avez un enfant qui crie et hurle après vous, qui semble ne jamais vouloir vous voir à moins de six kilomètres de lui et qui préfèrerait mourir plutôt que d'être vu en votre présence, vous avez quand même encore un enfant qui vous aime et qui a vraiment beaucoup besoin de vous. En réalité, il faut que vous décodiez son langage: plus votre enfant grogne et rouspète, plus il demande de l'aide et vous supplie de vous occuper de lui. À moins que cela ne vous coûte une fortune, ne vous inquiétez pas trop s'il passe des heures au téléphone. Il ne vous rejette pas. Il est tout simplement en train d'exercer une inclination naturelle qui va lui permettre de devenir un adulte indépendant, dans quelques années de là. Il désire encore que vous soyez son guide et il veut que vous restiez son chaperon. Je sais très bien qu'il est absolument insupportable et qu'il vous faut par moments toute la patience du monde pour le supporter, mais je vous assure qu'il vous aime encore, qu'il veut vous respecter et qu'en fin de compte, il vous écoutera.

Si votre enfant touche en ce moment à la drogue, ne pensez pas qu'il va s'arrêter d'ici peu, de lui-même. Au contraire, il risque de développer une dépendance de plus en plus totale. Si vous n'arrivez pas à communiquer avec lui, téléphonez à un psychologue ou à un psychiatre ou encore recherchez des conseils sérieux afin de savoir comment l'approcher afin que son traitement commence le plus rapidement possible. Si vous ne connaissez personne, prenez contact avec le conseiller de son école ou encore le pasteur de votre église et demandez-leur s'ils peuvent vous recommander quelqu'un.

Si votre enfant ne prend pas de drogues, que ce livre soit pour vous un outil qui vous permettra qu'il en soit ainsi de façon permamente. De la drogue, aujourd'hui, il y en a partout. Personne ne peut se croiser les bras et dire que cela ne lui arrivera jamais.

1. *Drug Scene Update*, Pride [National Parents' Resource Institute for Drug Education, Inc.], 1987.
2. *Today Show*, July 24, 1987.
3. Tous les anorexigènes sont des dérivés de l'amphétamine dont ils possèdent la structure chimique de base. La consommation d'anorexigènes est à 90 p. 100 féminine, dans le cadre de cure d'amaigrissement dictée, la plupart du temps, non par la santé mais par le souci d'être «belle». Leur efficacité est toujours transitoire car l'effet coupe-faim s'atténue après 4 à 5 semaines. Cet effet s'accompagne d'une stimulation du système sympathique qui se traduit par des palpitations, une tachycardie et des poussées de tension. La nervosité, l'irritabilité et l'anxiété sont fréquentes. Cette augmentation de la tension anxieuse peut augmenter les pulsions boulimiques et amener alors une augmentation de la prise d'anorexigènes. L'insomnie est fréquente. Bien tolérée au début, elle risque de provoquer une fragilisation des défenses psychologiques. Bientôt cette insomnie amène tout naturellement à la consommation de médicaments hypnotiques. Après quelques semaines, on peut voir apparaître un état dépressif avec les risques de suicide qui en découlent. *Science et Vie*, No 160, Septembre 1987.
4. *Drug Scene Update*, Pride, 1987.
5. Ibid.
6. *Science et Vie*, No 160, Septembre 1987.
7. Une seule prise d'opiacés semble suffisante pour modifier l'organisme et peut-être induire une petite dépendance physique pour une brève durée. Certains médecins se demandent si l'intrusion de la drogue dans le système nerveux, même une seule fois, ne laisse pas une trace biologique prolongée ou même indélébile et si une telle mémoire organique de la drogue pourrait favoriser la toxicomanie ultérieure. C'est pourquoi ils recommandent une extrême prudence dans les prescriptions d'antalgiques, de sédatifs et morphinomimétiques, particulièrement chez les jeunes enfants. *Science et Vie*, No 160, Septembre 1987.
8. *La Bible*, Proverbes 22: 6.
9. *Under the Influence*, National Federation of Parents for Drug-Free Youth, 1987.
10. *Drug Scene Update*, Pride, 1987.
11. *Minnesota Survey*, Search Institute, p. 104, 1983.

2

Le monde déroutant
de votre enfant

*«Je me suis droguée car j'avais peur
de vivre.»*

Jessie, 21 ans, droguée

Le chapitre précédent vous a-t-il secoué? J'espère que oui, car vous avez besoin de prendre très au sérieux ce que je dis.

Maintenant examinons le monde dans lequel votre enfant évolue et regardons en face certaines réalités*:

1.   Une étude a révélé que 47 p. 100 des adolescents de 15 ans de la classe moyenne, avaient assisté en 1986 à une surprise-partie où ils avaient pu se procurer de l'alcool en toute liberté.

2.   Dans certaines commissions scolaires, on exige que les professeurs embauchés signent une déclaration par écrit et sous serment par laquelle ils s'engagent à n'enseigner aucune valeur morale pendant leurs cours.

3.   Certaines écoles enseignent dans leurs cours «l'usage raisonnable des drogues».

4.   Le divorce est un facteur majeur qui pousse les jeunes vers la drogue.

---

*   Il s'agit de la société nord-américaine. En est-il autrement de la société européenne?

5. Certaines études démontrent que peu de parents réalisent combien leurs enfants sont inquiets au sujet de la guerre nucléaire, de la montée de la violence dans le monde et de l'envahissement de la drogue dans tous les milieux.

6. D'autres études, par contre, ont prouvé qu'un nombre de plus en plus grand de jeunes de 13 à 14 ans qui se préoccupent de ces problèmes mondiaux, n'ont pas la capacité émotionnelle et intellectuelle de supporter ces soucis.

Il n'y a pas très longtemps, je discutais avec un ami des tentations et des frustrations qui assaillaient un enfant d'aujourd'hui. Mon ami me dit:

«Tu sais Ross, je suis vraiment désolé pour mon enfant. J'ai été un adolescent vers la fin des années 50 et pendant la totalité de mon adolescence, je n'ai pas rencontré les tentations que mon fils doit combattre maintenant tous les jours. Notre famille n'avait qu'une seule voiture et nous, les enfants, y avions droit chacun à tour de rôle. Je pouvais m'en servir un samedi et un dimanche par mois. Si je la voulais plus souvent, il fallait que je marchande drôlement avec mon frère aîné. Il n'y avait pas de problème d'alcool parmi mes copains et aucun d'eux ne prenait de drogues illicites. Peut-être est-ce parce que nous n'avions pas d'argent. Je n'en sais rien. Mais je sais une chose, mon fils est submergé de tentations.»

Je suis parfaitement d'accord avec mon ami. Il y a seulement 20 ans, personne ne pouvait même imaginer la liberté que les enfants ont aujourd'hui. Presque toutes les familles ont deux voitures. Oh! je ne veux pas bouder les gains matériels et l'affluence de notre société, mais tout cela nous offre plus de mobilité et de liberté qui nous créent à tous, et très particulièrement aux adolescents, plus de tentations.

Un adolescent peut aller sans problème au cinéma pour y voir les films les plus obscènes et y entendre un langage des plus vulgaires. De toute façon, il n'a souvent même plus besoin de sortir de chez lui pour ce genre de divertissement, car la télévision offre un étalage de pornographie et de violence qui aurait été totalement inimaginable il n'y a que quelques années en arrière. Notre société est saturée de saletés au point que nos enfants en sont engourdis. Si vous voulez vous faire une idée des changements qui se sont opérés entre votre temps et celui de votre enfant, asseyez-vous et mettez sur papier dix choses qui ont changé. Vous serez profondément étonné et probablement fort consterné.

Bien que nous ne possédions que peu de documents objectifs pour le prouver, la vie est beaucoup plus stressante pour nos enfants qu'elle ne l'était pour nous, il y a 20 ou 25 ans. On ne peut blâmer nos enfants pour les problèmes d'aujourd'hui. Ce n'est pas de leur faute s'ils sont nés à cette époque-ci. Plusieurs études récentes nous ont prouvé que les enfants d'aujourd'hui ont des craintes que les enfants d'il y a 20 ans, n'avaient pas. Par exemple, sur 1000 enfants de 8 à 17 ans interrogés, 76 p. 100 avaient peur de se faire kidnapper alors que 65 p. 100 d'entre eux craignaient l'éclatement d'une guerre nucléaire[1].

Évidemment peu de parents soupçonnent de telles inquiétudes chez leurs enfants. Ils pensent qu'ils se soucient plus de l'opinion de leurs copains à leur égard que de la pauvreté ou de la faim dans le monde. Une autre étude a révélé que seulement 38 p. 100 des enfants de 11 ans se préoccupaient de leurs relations avec leurs copains alors que 62 p. 100 de leurs parents croyaient que c'était pour eux un souci primordial. Par contre 52 p. 100 de ces enfants de 11 ans étaient anxieux au sujet de la faim et de la pauvreté dans le monde alors que seulement 10 p. 100 de leurs parents en étaient conscients. Cette étude a affirmé que la majorité des adolescents désirait vivement parler de ces problèmes avec leurs parents. On sait que c'est en parlant de leurs inquiétudes que les adolescents arrivent à les maîtriser[2].

Malheureusement d'autres études encore, nous prouvent que de plus en plus d'adolescents se sentent rejetés de leur famille, de leur école et de leur communauté. Les parents américains, ⅔ d'entre eux selon un relevé démographique récent, ressentent de plus en plus le besoin de se libérer de leurs enfants car, disent-ils, ils désirent «vivre leur vie»[3]. Ces parents ne veulent plus se sentir responsables de leurs enfants. Où peuvent-ils donc se tourner ces pauvres gosses avec leurs soucis et leurs inquiétudes? Quand un enfant ne peut plus compter sur son père et sa mère, il faut bien qu'il se débrouille comme il peut, et ce n'est pas difficile à deviner, les drogues sont puissantes pour amortir bien des soucis, pour un temps...

L'oubli des valeurs

Notre société pousse jusqu'à l'exacerbation le chacun pour soi et la réussite individuelle. Elle a fabriqué ainsi une génération du moi* qui méprise et même ne connaît pas les valeurs humaines millénaires de la maîtrise de soi, de la compassion et du devoir sacré des parents envers leurs enfants. Chaque enfant, encore aujourd'hui, naît avec le besoin d'être entouré, protégé et éduqué par des adultes soucieux de son bien-être; mais avec une telle mentalité véhiculée par toute une société, ce besoin est de moins en moins comblé chez de plus en plus d'enfants.

On n'enseigne plus rien aux enfants et on les laisse pousser comme de l'herbe folle. Autrefois les parents se faisaient un point d'honneur d'avoir des enfants bien élevés. Ils tenaient à en faire des individus honnêtes, droits et maîtres d'eux-mêmes. Dire en tout temps la vérité, respecter d'une façon absolue la propriété d'autrui et ne jamais se laisser aller à l'impatience ni à l'impolitesse étaient à la base de leur programme d'éducation. Maintenant les enfants sont bombardés dès leur naissance, de slogans et d'images qui les condamnent à ne rechercher que ce qu'on leur présente comme pouvant les rendre heureux eux, sans se soucier le moins du monde des autres. Les drogues et une activité sexuelle strictement dirigée selon les impulsions du moment, sont présentées comme des plaisirs dont ils ne doivent pas se priver. Le fait que ces activités soient destructrices de la personnalité et de la santé

* «me-generation».

de tous ceux qui s'y engagent, est ignoré, raillé, nié. On se fiche littéralement des autres et cela à tous les échelons de l'échelle.

Nos enfants n'ont plus d'exemples de compassion, de bonté et de générosité. Le don de soi est un concept qui leur échappe complètement. Mais comment les blâmer? Un enfant ne sait et ne fait que ce qu'il a appris à faire et *il n'apprend que ce qu'il voit faire.*

Pour vivre, il faut une raison de vivre et la plus belle raison de vivre, la plus puissante, la plus exaltante est de vivre pour le bonheur *des autres.* Pourtant si vous demandez à un jeune d'aujourd'hui pourquoi il étudie, quel est le but qu'il s'est fixé, il aura soit, énormément de difficultés à vous répondre, ou s'il n'hésite pas, il vous dira sans détour: «Quoique je fasse, je veux que cela me rapporte au maximum[4].»

On pourrait citer étude après étude, statistique sur statistique et cela sans s'arrêter pour respirer. Toutes proclament à l'unanimité que la fibre morale des jeunes s'est amenuisée: la moitié des élèves de 13 ans et les ⅔ des élèves de 15 ans lorsqu'on les interroge, avouent qu'ils ont triché au cours de leur année scolaire; 80 p. 100 des adolescents affirment mentir une fois ou plus à leurs parents au cours d'une année et un tiers d'entre eux déclare qu'il ment six fois et plus. Trois jeunes sur dix piquent dans les magasins et 42 p. 100 des garçons de 15 ans posent des actes de vandalisme[5].

Il est impossible de ne pas constater que notre société n'est pas en train de produire des individus civilisés. Une civilisation meurt chaque fois que le moi devient le centre et l'obsession de ses membres. Il est important de noter que la poursuite effrénée de la satisfaction de ses désirs personnels et de son plaisir mène à l'usage des drogues illicites.

La joie de faire du bien, la satisfaction d'aider son prochain, la fierté d'avoir posé un geste désintéressé ne sont plus encouragées et ne font souvent même plus partie du programme de formation de nos jeunes. D'autres statistiques nous disent que moins de 10 p. 100 des jeunes consacrent une heure ou plus par semaine à faire du travail bénévole[6]. Même au sein du foyer, les enfants veulent être payés pour faire leur lit ou essuyer la vaisselle! Quel genre de préparation à la vie s'obtient ainsi? Un enfant est équilibré et bien équipé pour le monde des adultes lorsqu'il a appris non seulement à prendre mais aussi à donner, et plus à donner qu'à prendre. Il n'y a rien de plus cruel que de faire croire à un enfant que le but de la vie est la recherche et l'obtention de son plaisir personnel. Pour un nombre phénoménal d'entre eux, le contact avec la réalité est insupportable et la drogue devient ainsi un refuge facile qui leur permet à la fois d'assouvir les exigences de leur moi et de fermer les yeux aux besoins des autres.

Soyez honnête: Les jeunes d'aujourd'hui ne font que singer les valeurs que leur projette une société qui a déplacé du centre de ses valeurs l'amour de Dieu et l'amour du prochain. Où qu'ils se tournent, quoi qu'ils regardent, ils font face à un endoctrinement puissant qui leur ordonne d'être heureux à n'importe quel prix et n'importe comment, à refuser la moindre douleur et la plus petite souffrance et à rechercher avec avidité leurs propres intérêts sans aucun souci du bien-être des autres.

Les familles s'effilochent

À tout cela, les parents n'offrent souvent aucun contrepoids. Ils n'ont pas le temps de s'occuper de leurs enfants et donc de leur enseigner à vivre. Ils sont d'ailleurs eux-mêmes les victimes de cette philosophie du «moi-moi-moi» et cela s'exprime, entre autres, par une escalade des divorces. Or pour un enfant, et plus particulièrement pour un garçon[7], vivre dans une famille dissociée par la mésentente des parents, est une cause importante de toxicomanie. Les médias cherchent parfois à calmer la conscience de tous en affirmant que les enfants sont «flexibles et souples» et qu'ils se font à tout. Il n'y a rien qui soit plus loin de la vérité et de la réalité: Non, les enfants sont fragiles, extrêmement fragiles et aucun enfant ne peut vivre un divorce et rester intact.

Voyez, tout divorce produit de la colère, de la dépression et du remords, et la colère, la dépression et le remords conduisent directement à l'usage des drogues. Un enfant trouvera toujours le moyen, même si on lui affirme et répète le contraire, de se blâmer pour le divorce de ses parents. Et que voulez-vous? Prendre de la drogue est un moyen efficace d'endormir la souffrance que ressent un enfant dans ces circonstances.

Il arrive qu'un divorce libère un enfant d'une situation dangereuse pour sa santé physique ou mentale. Mais c'est loin d'être la règle et chaque fois que j'en ai l'occasion, j'encourage fortement les couples qui demandent le divorce à se réconcilier et à rechercher de l'aide pour reconstruire leur mariage sur de nouvelles bases. Les parents, quels que soient leurs différends, doivent combler les besoins de leurs enfants. Malheureusement, lorsque les couples sont en instance de divorce, ils ignorent et méprisent souvent totalement non seulement les intérêts mais même les sentiments de leur famille. C'est ainsi que l'enfant que l'on abandonne à lui-même et qui doit maintenant se débrouiller tout seul, se tourne souvent vers les drogues pour crier sa frustration et l'étouffer en même temps.

Tiens, revenons à Peggy Williams. Un jour qu'elle était dans mon bureau, elle prit du temps à parler. Elle avait alors 16 ans et semblait profondément absorbée dans ses pensées. Je lui dis: «Peggy, à quoi penses-tu? Peux-tu me le dire?

— Oh! Dr Campbell, s'exlama-t-elle, je pensais à une terrible bêtise que j'ai fait à l'école. J'ai peur de vous en parler, car c'est sûr, vous allez croire que je suis vraiment méchante.

— Ne t'inquiète pas à ce sujet, Peggy. Je sais que tu n'es pas si méchante que ça. Au contraire, je crois que tu es une gentille jeune fille.

— Eh! bien, se décida-t-elle enfin, voilà ce qui est arrivé. Un matin, je suis arrivée à l'école à l'avance et j'ai glissé un mot dans mon casier. C'est moi qui l'avais rédigé, mais en modifiant mon écriture. Ce mot était une menace contre moi. Je fis bien attention que personne ne me remarque le glisser dans mon casier, puis je suis sortie de l'école et j'ai attendu mes copines dans la cour.

Lorsque ce fut le moment de rentrer en classe, je me suis dirigée comme d'habitude vers mon casier avec mes copines puis j'ai attiré leur attention sur le bout de papier coincé dans la fente de la porte du casier. Je l'ai saisi. Je l'ai lu et je me suis mise à hurler.

J'ai répété ce scénario à quelques reprises ce mois-là, puis une nuit, je me suis amusée à cabosser la porte de ma voiture. Je voulais absolument que tout le monde croit que quelqu'un en voulait à ma vie. Mes parents n'ont pas remarqué la porte accidentée mais lorsque je suis arrivée à l'école, le directeur l'a vue et il a téléphoné à mes parents. Mon père a été bouleversé et il a exigé que l'on me donne un garde de corps. Le directeur ne pouvait m'attacher un de ses professeurs. Il a alors demandé à trois joueurs de football de me suivre constamment alors que j'allais d'un cours à l'autre et de l'école à l'autobus et vice-versa. À cause des bosses dans ma voiture, mon père m'avait obligée d'aller à l'école en autobus. Je n'avais pas pensé à cela car alors j'aurais trouvé à faire autre chose que de démolir ma voiture.

De toute façon, j'ai continué à jouer mon rôle. Chaque fois que je trouvais un billet, je me mettais à hurler et je me précipitais dans le bureau du directeur qui alors cherchait à me calmer, et me promettait à nouveau qu'il finirait bien par éclaircir toute cette histoire.

J'ai même dit que je croyais savoir de qui il s'agissait et j'ai décrit un garçon que je n'aimais pas à l'école. J'étais sûre que je maîtrisais parfaitement bien la situation.

Mais un jour, sans que je le sache ou puisse m'en douter, l'assistant-directeur a pris la situation en main. Il s'est mis à me suivre sans cesse — je ne m'en suis même pas aperçue — et un matin alors que j'allais à nouveau placer un petit bout de papier dans mon casier, il s'est placé juste derrière moi et m'a dit: «Donnez-moi cela, jeune fille». J'ai failli m'évanouir tant j'étais sûre qu'il n'y avait personne...

Puis il y eut toute une commotion. Mon père et ma mère sont venus à l'école et le conseiller scolaire et le directeur étaient là. Ils m'ont demandé ce qui n'allait pas et comme je n'avais pas envie de parler, je leur ai dit que mes deux meilleures amies m'avaient lâchée et que j'essayais d'attirer leur attention pour retrouver leur amitié. Tout le monde a eu l'air de me croire. Ils semblaient tous soulagés, mais moi je ne l'étais pas.

— Pourquoi as-tu fait cela, Peggy? Le sais-tu?

— Je ne sais pas. Je suppose que j'étais tout simplement enragée et dépitée.

— Envers tes amies?

— Non.

— Est-ce que tout cela t'a aidée à ne plus être en colère?

— Non.

— Je me demande pourquoi tu étais tellement fâchée.

— Ah! pour mille choses. Je ne pouvais jamais parler à maman. Elle déteste voir quelqu'un de bouleversé. Et puis elle et papa n'arrêtent pas de se crier après. Dites, Dr Campbell, comment est-ce que vous vous sentiriez vous, si vos parents vous annonçaient, comme ça, qu'ils allaient divorcer et qu'il fallait que vous décidiez avec lequel des deux vous vouliez vivre?»

Les beaux yeux bruns de Peggy se noyèrent de larmes et elle enfouit son visage dans ses mains.

«Peggy, lui répondis-je doucement, je serais enragé et puis, il faut que je te le dise, moi aussi, je pleurerais.

— J'ai été tellement stupide, Dr Campbell. Ce n'est pas possible quand j'y pense. Je crois que j'ai fait tout cela car je pensais que je pourrais ainsi attirer l'attention de mes parents et leur faire comprendre que je ne voulais pas choisir entre eux. Je voulais leur dire que j'avais besoin de chacun d'eux. Ça n'a pas marché. Je me suis ridiculisée. Puis il y a eu ma mère qui n'arrêtait pas de me donner du Valium pour que je ne sois pas triste. Et je me suis mise à prendre des drogues. Tout est allé mal. Ma vie est maintenant fichue.»

On ne peut pas dire que le divorce de ses parents est l'unique cause de la toxicomanie de Peggy. Cependant, on ne peut pas ignorer non plus que cette situation l'a forcée à se tourner vers des amis qui, voilà, faisaient usage de drogues. Cette réalité doublée du fait que sa mère lui avait souvent auparavant offert du Valium, l'a rapidement conduite vers une dépendance totale.

Il n'est pas difficile de comprendre pourquoi beaucoup de jeunes comme Peggy essaient les drogues. Les souffrances affectives et le divorce de leurs parents constituent une énorme raison, et puis l'absence de modèles sains aux valeurs nobles et les tentations s'unissent aujourd'hui pour causer aux adolescents des frustrations trop fortes et trop grandes pour qu'ils puissent les supporter... C'est ainsi qu'ils se tournent presque irrésistiblement vers les copains qui peuvent leur offrir une solution rapide à leur douleur: les drogues.

L'usage social des drogues

Une autre source de perplexité grave pour nos jeunes est le fait que les écoles tendent maintenant à encourager l'usage «responsable» des drogues. C'est exactement ça. Pensant qu'on ne combattra pas ce problème, beaucoup de voix se mettent à plaider non plus pour une éducation en faveur d'une abstinence totale, mais pour une éducation à la consommation raisonnable des drogues. À cette fin, les écoles reçoivent des feuillets d'information à distribuer aux élèves dans lesquels ceux-ci peuvent lire des inepties semblables: «Aussi longtemps que vous consommez des drogues d'une façon responsable, vous n'en souffrirez pas». Ça me renverse! À quand les feuillets publicitaires en faveur du vandalisme responsable ou du vol responsable des voitures? C'est grotesque, n'est-ce pas? Mais alors comment réagir à ce genre d'éducation au sujet des drogues?

Voici quelques exemples tirés de livres glanés dans une bibliothèque scolaire[8]:

— Ici, on conseille aux jeunes d'utiliser des drogues de bonne qualité, de bien trier les graines de leurs saletés et d'utiliser des panoplies propres pour fumer ou renifler la drogue.

— Là, on encourage les enfants à attaquer leurs parents sur leurs drogues à eux et à leur faire le chantage suivant: «Si vous abandonnez vos drogues, eh! bien, j'abandonnerai les miennes.» De plus, on dit aux enfants d'expliquer à leurs parents qu'ils se droguent d'une manière «responsable» et qu'il faut donc qu'ils cessent de s'inquiéter. Plus encore, les auteurs de ce livre s'adressent aux parents pour leur dire qu'ils ne doivent pas culpabiliser leurs enfants quand ils font une défonce car, affirment-ils et je cite: «Il n'y a pas de mauvaises drogues, il n'y a que des mauvaises relations avec les drogues.»

— Dans un autre livre qui s'adresse directement aux jeunes, on peut lire: «Si vous êtes en train de mettre sur pied une surprise-partie où vous servirez de l'alcool, et si vos parents sont d'accord, essayez au moins d'en faire une fête agréable, sans danger et intéressante, plutôt qu'une beuverie. Ne mettez pas trop d'alcool dans le punch et ne laissez personne en ajouter.» Les auteurs de ce livre prennent cependant la peine d'avertir leurs lecteurs que les adultes qui fournissent volontairement de l'alcool à des mineurs sont passibles de sanctions criminelles.

Avec de telles réclames, comment peut-on être surpris que nos enfants fassent l'essai des drogues? Et qui est là pour savoir jusqu'où l'usage «responsable» des drogues les mènera? Pour combien d'entre eux, ces enseignements perfides sont le coup de pouce qui les fera culbuter pour la vie, dans les toxicomanies?

Savez-vous ce qui se passe à l'école?

C'est un principe: Tout parent a le devoir de savoir en tout temps tout ce qui se passe dans l'école que fréquente son enfant. Je ne veux pas vous faire peur et affirmer que toutes les bibliothèques scolaires possèdent de tels livres. Il se passe aussi de bonnes choses dans nos écoles. Il existe des professeurs consciencieux qui mettent sur pied des programmes d'éducation et de prévention face aux drogues. Pourquoi ne pas faire la connaissance des maîtres de votre enfant?

Récemment, un ami m'a raconté une histoire au sujet de l'entraîneur de basket-ball à l'école que fréquente son fils. Cet incident n'est pas en rapport avec les drogues, mais la colère et la frustration qu'il a provoquées chez les garçons qui en ont été les victimes, auraient pu leur donner une raison pour en faire l'essai.

Voilà ce que m'a raconté mon ami: «À une soirée, le père de l'ami de mon fils m'a expliqué que l'entraîneur de basket avait mis sur pied une séance d'exercice au cours de laquelle chacun devait lancer le ballon, le faire rebondir et le passer à son voisin sans le manquer. Le perdant devait alors s'avancer au milieu du gymnase, enfiler sur son costume une culotte rose de femme et passer ainsi attifé le reste de la pratique. Cela durait depuis que cet homme dirigeait ce sport.»

«Je n'en revenais pas, continua mon ami, mais ce qui m'étonnait le plus, c'est que je n'en avais pas entendu parler par mon fils. Rentré à la maison, je lui ai demandé pourquoi il ne nous en avait pas parlé. Il m'a répondu: — Oh! c'est rien. Tout le monde doit passer par là. Alors je l'enfile et j'essaie aussi fort que je peux d'oublier que je porte cette culotte. Après cela, ma femme et moi avons demandé à rencontrer le directeur de l'école et son assistant. Nous avons même parlé aux membres du comité d'école, en privé. Nous avons demandé que cette mascarade soit éliminée des pratiques de basket. On nous a répondu que nous faisions trop d'histoires pour pas grand-chose et que nous allions mettre cet entraîneur dans l'embarras. Il devait déjà l'être car peu de temps après notre intervention, il a donné sa démission.

Ma femme et moi étions dégoûtés de tout cela. Nous nous sommes rendus compte que personne ne s'inquiétait de savoir comment les garçons de cette équipe se sentaient face à cette grossièreté. Bien sûr, tous ils disaient que ce n'était pas grave, mais dans le fond, que ressentaient-ils vraiment? Les mots de notre garçon résonnaient à nos oreilles: — Oh! je la mets puis j'essaie aussi fort que je peux d'oublier que je suis en train de la porter. Si ce n'était pas grave, pourquoi essayait-il d'oublier qu'il la portait?

Puis nous nous sommes inquiétés en croyant que notre fils aurait peut-être des ennemis dans son équipe à la suite de notre intervention. Mais ce ne fut nullement le cas. Presque chaque garçon est venu lui dire: — Tu sais, je suis heureux que cet entraîneur soit parti. Je détestais cette farce de la culotte rose.»

Cette histoire m'a estomaqué. Je ne peux qu'imaginer la colère, la frustration et le dégoût que ces jeunes garçons ressentaient. Plus, je me demande quelle qualité d'homme était cet entraîneur et quel genre d'influence il pouvait exercer sur de jeunes garçons en pleine puberté... Je veux par là vous faire comprendre combien il est important d'être parfaitement au courant de tout ce qui se passe dans la vie de votre enfant. Bien sûr, je ne vous dis pas d'être constamment sur ses talons, mais presque. Il faut que vous fassiez la connaissance de ses amis, de ses professeurs, de ses entraîneurs, de son chef de la jeunesse et de son maître d'école de Bible, s'il fréquente une église, et que vous puissiez leur accorder à tous votre confiance et votre respect.

Qui s'occupe encore de moralité?

La vie de votre enfant est littéralement envahie d'influences néfastes. Par exemple, je lisais dernièrement un article dans un journal pour jeunes filles, très en vue. Il traitait de la pratique des relations sexuelles sous l'influence de l'alcool et des drogues.

C'est à pas en croire ses yeux mais l'auteur, sans décourager une telle pratique, conseillait à ses lectrices d'avoir toujours sous la main, un contraceptif adéquat afin de pouvoir avoir des relations sexuelles «responsables». Ah! le beau mot passe-partout! Puis il ajoutait: «Il est préférable bien sûr, d'avoir des relations sexuelles quand vous partagez votre amour avec la bonne personne et quand vous pouvez choisir avec un esprit clair ce que vous ferez à deux.» Le message est clair: Il n'y a aucun problème à avoir des relations pré-conjugales. Tout ce qu'il faut, c'est ne pas tomber enceinte.

Oui, l'immoralité et un désir arrogant d'amoralité ont envahi notre société. Le malaise est grand et certaines personnalités s'inquiètent. Une vedette de la télévision disait récemment: «Il y a quelque chose qui manque. On ne trouve plus de véritable force morale. On fait la guerre aux méchants, certes, mais il n'y a plus de bonté. Pour ma part, je suis fatigué de toute cette sexualité et de toute cette violence gratuites. Acquérir la sagesse est une idée qui a fait banqueroute. Plus personne n'y croit. On croit maintenant à l'acquisition de la puissance et non plus à celle de la connaissance et de la vérité. Oui, on veut la puissance mais pas pour l'honneur, pas pour l'amour. Où sont allées toutes ces choses?[10]»

Un journaliste a interrogé une jeune fille de 16 ans qui venait de recevoir les honneurs de son école pour avoir composé et lu avec brio un texte sur les réactions des gens à l'assassinat de John F. Kennedy le 22 novembre 1963.

Elle lui a dit: «Votre génération a perdu son innocence le 22 novembre 1963. Ma génération n'a plus d'innocence à perdre. Et si ce que ma génération a maintenant est de l'innocence, je tremble à l'idée de ce que sera notre version du 22 novembre 1963. J'ai 16 ans et je m'attends à voir au cours de ma vie un autre président assassiné. Vous parlez d'innocence, hein?»

Elle continua: «Aujourd'hui, je connais des enfants qui travaillent après l'école et la nuit pour aider leurs mères à joindre les deux bouts car leurs pères les a quittés. Je connais des enfants qui ne se soucient que du fait qu'ils n'ont plus un sou parce qu'ils sont allés dans un bar qui est pourtant interdit aux moins de 18 ans. Je connais des enfants qui sont en 4e année à l'élémentaire et qui doivent faire face à la drogue. Pouvez-vous vous imaginer des enfants de 10 ans qui arrivent à l'école ivres ou «gelés»?

Nous sommes complètement blasés. On peut ouvrir la télévision et regarder à peu près n'importe quoi. Il n'y a pour nous plus rien à découvrir, plus rien à inventer. À 15 ou 16 ans, on est déjà vieux, vicieux et nauséeux. J'ai vu un film à la télé: Il était dégoûtant et en plus tout le monde se droguait et même le singe reniflait de la cocaïne! Parfois, je me demande quels souvenirs j'aurai de mon enfance. C'est comme si être un enfant était devenu un phénomène démodé[11].»

Parents, cela nous frappe-t-il en plein cœur? Il est fort possible que cette jeune fille, tout comme des millions d'autres jeunes, rentre chaque soir de l'école dans une maison vide où n'habite qu'un seul de ses parents. Ma vaste expérience en tant que psychiatre m'a appris que le divorce et le style de vie qui mènent ces parents qui ressentent le besoin de «se réaliser», ont comme sous-produit un énorme contingent d'enfants qui seront des cibles toutes prêtes pour l'essai des drogues, cet essai qui si souvent conduit à la dépendance et à la toxicomanie.

Permettez-moi ici de dire que je ne suis pas contre les droits de la femme, ni contre les droits et libertés civiles, ni contre les droits de qui que ce soit, mais je suis obligé de remarquer que quelque part, le long de cette route de revendications acharnées, quelqu'un a oublié de s'occuper des enfants...

Notre société a trahi ses enfants. Parents, il faut maintenant que nous nous attachions à créer un monde meilleur pour nos chéris et ce monde, c'est un foyer où règne l'amour.

Nos enfants peuvent avoir l'air forts et durs mais ils sont fragiles. Ils ont besoin de soins quotidiens. Ils veulent des règles précises. Ils désirent connaître ce qui est bien et ce qui est mal. Ils aspirent à des valeurs immuables comme celles qu'enseigne le christianisme authentique. Sans un code d'éthique immuable, ils ne peuvent devenir des adultes équilibrés. Parents, vos enfants ont besoin de vous et ils veulent que vous modeliez leur vie. Pensez à ce garçon forcé par un professeur douteux à porter un sous-vêtement féminin.

Combien il fut fier de voir ses parents intervenir dans sa vie d'écolier. Leurs démarches lui ont prouvé que pour eux il était important, qu'il était quelqu'un.

Les enfants sont juste ça: des enfants, et donc incapables de se défendre eux-mêmes. Ils sont dans une large mesure les victimes des circonstances créées par la génération adulte. Les enfants nous donnent de la joie. Ils nous émeuvent jusqu'aux larmes. Ils sont une promesse d'espérance. Ils sont un don de Dieu. Ils ont besoin de nous. Ne les laissons pas tomber.

1. *Young Adolescents and Their Parents*, Search Institute, p. 97, 1984.
2. Ibid. p. 96, 210.
3. *Source*, Vol. II, No. 3, Search Institute Source, August 1986.
4. Ibid.
5. Ibid.
6. Ibid.
7. *Science et Vie*, No. 160, Septembre 1987.
8. Hawley R. A., Schoolchildren and Drugs: The Fancy That Has Not Passed, *Phi Delta Kappan*, p. K6, K7, May 1987.
9. Mc Cox K., Sex under the Influence: The Hazards of Drugs, *Seventeen*, p. 52, Dec. 1986.
10. Clark K. R., Sorvino Wants Return of Morality, *St-Louis Dispatch*, p. 11H, Oct. 23, 1987.
11. Greene B., Innocence Lost, *Austin American-Statesman*, p. C5, Nov. 4, 1987.

3

La colère
et les drogues

*« J'ai commencé à me droguer lorsque
je suis rentré au collège. J'ai fumé de la
marijuana, mais rapidement, ça ne m'a plus
satisfait. Alors j'ai fait connaissance avec
la cocaïne. Dès la première fois que j'y ai
touché, la cocaïne a été mon premier et
mon dernier amour. »*

Matt, 17 ans, cocaïnomane

Vous êtes maintenant au courant des frustrations
et des tentations que vos enfants rencontrent chaque
jour. Il est donc indispensable que vous compreniez
aussi que tout cela peut les mettre en colère et les
amener à se droguer dans une vaine tentative de faire
face à leur monde bouleversant.

Avant d'ouvrir notre discussion sur la relation entre
la colère et l'usage des drogues, prenez la peine de
répondre au petit questionnaire suivant.

Oui   **Non**

_____   _____   1. Il est rare que mon enfant exprime ses frustrations avec des cris et des hurlements.

_____   _____   2. Il est rare que mon enfant se dispute avec ses frères et sœurs.

_____   _____   3. Mon enfant est un enfant docile et tranquille et il cherche constamment à maintenir la paix entre ses frères et sœurs.

_____   _____   4. Mon enfant ne semble jamais avoir de problèmes. Par contre, tous ses copains lui racontent les leurs.

_____   _____   5. Mon enfant fait tout ce qu'on lui demande de faire sans trop de rouspétances.

_____   _____   6. Il est évident que mon enfant fait tout ce qu'il peut pour plaire à son père et à sa mère.

_____   _____   7. Mon enfant semble inquiet quand ses notes sont moins bonnes que d'habitude, mais il ne m'en parle pas.

_____   _____   8. Mon enfant ne me parle jamais de ses soucis.

_____   _____   9. Mes amis me félicitent très souvent des bonnes manières et de la bonne conduite de mon enfant.

_____   _____   10. Je suis vraiment heureux que mon enfant ne bouleverse pas notre maison avec des crises de rage.

_____   _____   11. La colère est une émotion inutile. Elle ne sert qu'à déranger une famille.

_____   _____   12. Il n'y a aucun rapport entre la colère et l'usage des drogues.

J'espère vivement que vous avez pu répondre non à la majorité de ces questions. Si vous avez répondu oui à plus de la moitié d'entre elles, il est urgent que vous vous mettiez à communiquer avec votre enfant et que vous l'aidiez à apprendre à exprimer sa colère.

La colère, une émotion normale

Le dictionnaire nous indique que la colère est un sentiment de mécontentement qui résulte de l'opposition, d'un mauvais traitement, d'une blessure, etc. Appliquons cette définition à notre vie quotidienne. Vous êtes-vous jamais cogné l'orteil? N'avez-vous alors jamais crié ou gesticulé? Vous l'avez fait soit parce que cela vous a fait mal ou encore parce que cela vous a humilié. Mais après, vous vous êtes senti mieux, n'est-ce pas?

Maintenant, quand votre enfant rentre à la maison de l'école de mauvaise humeur, et qu'il commence à grogner sans raison apparente, lui laissez-vous la possibilité de grogner, puis l'aidez-vous à exprimer la cause réelle de sa frustration pour qu'il puisse se sentir mieux? Si vous êtes comme la plupart des parents, et là-dessus nous nous ressemblons tous plus ou moins, il y a de fortes chances que vous le punissiez et l'envoyiez dans sa chambre, jusqu'à ce qu'il soit à nouveau de bonne humeur.

Nous devons réaliser que la colère est une émotion normale et qu'il faut arriver à l'exprimer comme n'importe quelle autre émotion. Tenez, voici un exemple qui vous permettra d'agir autrement la prochaine fois que votre enfant rentrera en grognant de l'école.

Voilà, votre fils vient d'entrer dans la cuisine:

«Bonjour, chéri. As-tu fait toutes tes courses?

— Oh! maman, pourquoi as-tu besoin de toujours me questionner sur la moindre chose que je fais? Où est papa?

— Je ne sais pas où il est allé, mais il devrait être de retour dans quelques minutes car nous devons aller faire des achats cet après-midi.

— Vraiment, maman, c'est tout ce que vous trouvez à faire tous les deux: Chercher des moyens de dépenser votre argent?»

Là, c'en est trop. Vous êtes sur le point d'envoyer votre adolescent dans sa chambre et même de le priver de voiture pendant une semaine. Mais n'en faites rien. Dites plutôt:

«Chéri, c'est évident qu'il y a quelque chose qui te tracasse. Allons, trouvons ce qui ne va pas. Tu sais très bien que je ne suis pas une mère curieuse et que je peux faire des tas de choses qui ne nécessitent pas la dépense d'un seul sou.»

Votre fils, c'est sûr, ne s'assiéra pas sur-le-champ pour vous énumérer d'une traite tout ce qui le trouble; mais avant que la journée ne soit achevée, il est fort probable qu'il vienne à vous et vous dise quelque chose de semblable:

«Tu sais, maman, j'ai eu une contravention en faisant mes commissions et j'ai eu très peur que papa en soit très fâché.»

Ça y est, votre fils ne s'excusera certainement pas d'une manière directe, mais il cherchera à vous dire en passant que sa mauvaise humeur n'avait rien à faire avec vous. Ainsi, grâce à votre tact votre fils aura pu éventer un peu sa colère et en exprimer la cause. Imaginez ce qui serait arrivé si vous l'aviez envoyé immédiatement dans sa chambre. Il aurait eu le temps d'alimenter sa colère, de lui donner des proportions énormes et de la projeter sur vous. En la gardant à l'intérieur, elle aurait pu devenir extrêmement destructrice. Être en colère à l'occasion, est normal. Ce n'est que lorsque l'expression de la colère devient physiquement dangereuse qu'il faut prendre des mesures draconiennes pour contrôler la situation.

Il faut enseigner aux enfants qu'il est naturel d'être en colère et qu'il est normal de le faire sentir. Par contre, il faut aussi leur enseigner à exprimer cette colère avec maturité, c'est-à-dire, en arrivant à mettre le doigt sur sa source véritable et à en discuter. Cela évidemment exige du temps et de la patience, mais on peut y arriver et il est important d'y arriver.

La colère des parents

Avant d'arriver à enseigner à leurs enfants à exprimer leur colère d'une manière adéquate, il est essentiel que les parents s'arrêtent pour considérer comment ils expriment eux-mêmes leur propre colère. Vous le savez fort bien, nos enfants sont nos copies et leur façon d'agir est toujours un reflet de notre façon d'agir.

Laissez-moi vous raconter l'histoire de Greg et Carol Wassel. Ils sont venus me consulter à cause de leur fils Andrew qui avait été attrapé en train de fumer des joints. Après un certain nombre de consultations, nous avons découvert qu'Andrew se droguait parce qu'il n'arrivait pas à exprimer sa colère.

Lors de leur première visite à mon bureau, les Wassel étaient tous les deux extrêmement nerveux, mais je sentais qu'ils désiraient vraiment me parler d'Andrew. Son père commença par me dire:

«Dr Campbell, mon fils est en train de devenir un bon à rien. Je n'ai jamais vu dans toute ma vie un enfant aussi indifférent. Moi, à son âge, si je n'avais eu que la moitié de la chance qu'il a, je m'y serais accroché de toutes mes forces. Mais lui, que pensez-vous qu'il fait? Il fait des fugues et fume de l'herbe avec des drogués. Je n'y comprends rien. J'ai dit à ma femme que ce dont cet enfant avait besoin, c'était d'une bonne raclée.»

Sa femme Carol l'interrompit.

«Non Greg, Andrew n'a pas toujours été ainsi et c'est la seule fois que nous l'avons surpris en train de fumer de la drogue. Pourquoi ne demandons-nous pas au Dr Campbell de nous expliquer cette histoire? Il a certainement quelques idées à ce sujet. Andrew n'est pas un mauvais garçon. Quelque chose n'a pas tourné rond pour lui.»

Je pris la parole et leur demandai si je pouvais leur parler sur une base individuelle afin d'apprendre à bien les connaître; puis je leur promis que l'on cherchait à régler ce problème ensemble, une fois que j'aurais une bonne notion de leur personnalité à chacun.

Je découvris bientôt que le père était un homme très en colère et qu'il rejetait toute sa rage sur son fils. Pourtant la source de sa frustration était son travail et lorsqu'il le comprit, il se mit à voir ce qu'il était en train de faire subir à son pauvre garçon.

Bien sûr, lorsque des parents sont fatigués ou inquiets, les agissements de leurs adolescents peuvent très rapidement leur causer des tensions et les mettre en colère. C'est alors que *toute* la colère des parents et non pas seulement celle que son action a causée, est précipitée sur l'enfant. Or, il n'y a rien de plus nuisible qu'une colère disproportionnée pour couper la communication entre un adolescent et son parent.

J'ai conseillé à Greg et à Carol Wassel deux trucs pour qu'ils apprennent à maîtriser leur propre colère:

1.   Prendre chaque jour un moment pour être seul et en profiter pour lire des choses encourageantes ou écouter de la musique agréable. Ceci fera baisser la tension intérieure.

2.   Surveiller et modifier leur régime alimentaire, car être en bonne forme physique réduit l'irritabilité[1].

Greg me dit un jour:

«Dr Campbell, même si on fait tout bien, n'est-il pas encore normal de se sentir en colère de temps en temps?»

Je lui répondis:

«Bien sûr. Par contre, lorsque vous êtes capable de mettre le doigt sur la source ou la cause de votre colère et que vous apprenez à vous excuser auprès de votre adolescent pour avoir réagi trop violemment à l'une de ses bêtises, vous êtes en train de démontrer de la maturité. C'est alors que vous pouvez commencer à enseigner à votre enfant à exprimer et à manier correctement sa propre colère.»

Comment apaiser sa colère

Mes séances avec les Wassel progressaient bien. Ils commençaient à comprendre que les inquiétudes professionnelles du père l'amenaient à réagir excessivement aux moindres gestes de son fils, ce qui créait une très mauvaise relation entre eux deux. Je voulus alors faire quelques suggestions à Andrew pour l'aider à manier sa colère, mais je tins à le faire en présence de ses parents. Cela ne plut pas à Andrew. Il se sentait très mal à l'aise devant son père. Mais au bout de quelque temps, il fut moins sur la défensive. Je lui demandai alors:

«Andrew, as-tu déjà été fâché au point de jeter quelque chose?

— Oui, une fois, mais ce que papa m'a attrapé!»

Son père l'interrompit:

«Je t'ai attrapé parce que tu as brisé le beau miroir que j'avais acheté à ta mère pour son anniversaire.»

Je continuai:

«Andrew, il faut que tu apprennes à exprimer ta colère avec maturité. Regarde ici une liste qui indique les diverses façons que les gens emploient pour exprimer leur colère. Voyons où tu te trouves sur cette liste. Je pointai les cinq premiers points:

— Penser logiquement et d'une façon constructive
— S'en tenir à sa plainte initiale
— Diriger sa colère uniquement sur son objet
— Désirer trouver une solution
— Comportement agréable

Voilà, dis-je, comment un individu mûr et maître de soi agit lorsqu'il est en colère. Il pense avec logique à son problème puis il passe par les étapes suivantes et débouche généralement sur un comportement agréable. Mais regarde le bas de cette liste:

— Comportement désagréable et bruyant
— Blasphémer
— Déplacer sa colère sur d'autres sources que la première
— Faire des plaintes sans rapport avec l'objet de sa colère
— Jeter des choses
— Détruire des choses
— Faire des abus physiques
— Avoir un comportement émotivement destructif
— Avoir un comportement passif-agressif

Je fis comprendre à mes patients que le comportement passif-agressif est le pire des comportements. Faire des abus physiques est aussi une piètre façon d'indiquer que l'on est fâché. Avoir un comportement émotivement destructif, en projetant sa rage sur des choses que l'on désire détruire ou en cherchant à blesser affectivement quelqu'un d'autre, est encore une façon peu mûre d'exprimer sa colère. Jeter des objets, taper des pieds, claquer des portes est loin d'être idéal, mais c'est quand même une façon un peu plus appropriée de manifester son dépit.

«Qu'en penses-tu, dis-je à Andrew?

— Eh! bien, je ne frappe pas les gens quand je suis enragé et je n'ai rien détruit encore, si ce n'est le miroir de maman. Par contre, je jette à l'occasion des objets. Mais votre exposé m'inquiète. Est-ce que je ne pourrai plus jamais me mettre en colère? Je ne pense pas en être capable.

— Bien sûr que non. Tous les garçons de 14 ans se fâchent. En vérité, ressentir de la colère est une chose normale. Par contre, jeter des objets et tout flanquer en l'air, n'est pas un moyen très sain d'exprimer sa colère. C'est pourquoi nous allons travailler ensemble pour apprendre à exprimer la colère avec maturité. Ça ne se fera pas en un jour, mais comme vous êtes tous les trois très désireux de régler vos problèmes, cela ne devrait pas prendre trop de temps non plus.»

Sa mère affirma: «Andrew est un bon garçon, Dr Campbell. Il a déjà fait un grand bout de chemin et je

crois que nous arriverons à régler tout cela.»
Je le crois moi aussi. Les Wassel sont une famille qui s'aime. Elle a pris un mauvais tournant, mais elle cherche à se réorienter. Je les ai pressés d'encourager Andrew à exprimer sa colère et à le surveiller afin de voir où il se situe sur ce que j'appelle l'échelle de la colère. Je leur ai suggéré de féliciter leur fils chaque fois qu'il arrivait à dire qu'il était fâché puis de lui pointer son manque de maturité s'il a encore jeté quelque chose en l'air.

«Par-dessus tout, dis-je en terminant, soyez patients. N'oubliez pas que la colère est un sentiment humain normal et qu'il faut apprendre par étape, à l'exprimer d'une manière saine et adéquate. Les parents doivent enseigner à leurs enfants à agir avec maturité. Sans éducation, un enfant ne peut rien faire de bien. C'est tout simplement impossible.»

Une colère refoulée et l'usage des drogues

Nous venons de voir qu'être en colère peut conduire à de graves problèmes. Andrew éprouvait tellement de ressentiment à cause de la colère de son père que celui-ci dirigeait contre lui, qu'il décida de se tenir à l'écart de sa famille. Non seulement ce garçon est devenu insupportable, mais encore il s'est mis à toucher aux drogues. Je suis vraiment heureux que ses parents m'aient amené Andrew avant qu'il n'ait eu le temps de refouler sa colère. Une colère constamment refoulée ou étouffée est une cause importante de l'usage des drogues. Voyez-vous, un enfant en colère n'a qu'une envie: faire payer ça à une figure d'autorité. Or l'autorité dit qu'il ne faut pas prendre de drogues. Que pensez-vous donc que cet enfant fâché va faire? Bien sûr, prendre des drogues, hélas sans comprendre la plupart du temps, qu'il se jette dans cette misère uniquement parce qu'il en veut à quelqu'un.

La cause fondamentale de la colère chez un enfant, c'est qu'il ne se sent pas aimé. Il est impossible pour un être humain de grandir et de se développer normalement, s'il ne reçoit pas de ses parents ou de substituts adéquats, une bonne dose d'amour. Lorsque l'on refuse à un enfant l'amour et l'attention auxquels il a droit, on le détruit. Les drogues sont alors pour un enfant repoussé, un moyen facile d'endormir sa douleur et sa colère.

Les enfants qui vivent dans une famille dissociée (un foyer monoparental[2]) ou dont les deux parents travaillent, ont tendance à être très en colère. Il ne faut pas chercher longtemps pour comprendre pourquoi: ces parents surmenés n'ont que très peu de temps pour démontrer de l'affection à leurs enfants. Lorsque les deux parents travaillent ou poursuivent des activités débordantes en dehors du foyer (ou même au foyer), il faut qu'ils mettent les bouchées doubles pour réussir à créer un environnement stable et chaleureux pour leurs enfants. Trouver du temps pour que votre enfant sente que vous l'aimez n'est certainement pas impossible, mais cela exige une planification très soigneuse. C'est d'une importance primordiale.

Les enfants, spontanément, ressentent l'absence d'un parent comme un manque d'amour et cela dès leur plus jeune âge. Vous avez certainement connu de près ou de loin un bambin qui a été confié à la garde d'un étranger parce que ses parents devaient s'absenter pendant une fin de semaine. Vous vous souvenez que lorsque ceux-ci tout heureux sont revenus le chercher, ils n'ont pas trouvé un enfant radieux qui leur tendait les bras mais un enfant renfermé qui s'agrippait à la gardienne. Il est certes difficile d'imaginer qu'un enfant de 18 mois puisse être en colère contre ses parents, mais c'est exactement le cas. Le bambin est effectivement fâché car on lui a refusé la présence et l'attention de ses parents pendant deux jours complets.

C'est ainsi que de nombreux enfants de parents qui travaillent ou qui sont divorcés ont la certitude que l'absence de leurs parents est la preuve qu'ils ne les aiment pas et ce sentiment de ne pas être aimé les conduit à ressentir une immense colère. Ce dont les enfants ont le plus besoin, c'est d'amour inconditionnel*.

---

* Voir du même auteur, *Comment vraiment aimer votre enfant*, Orion, Québec, 1980.

Il n'y a rien de plus puissant pour les aider à grandir et à devenir des adultes sains et heureux.

Maintenant, je dois bien vous faire comprendre que même l'enfant le plus aimé ressentira encore par moments de la colère. Je le répète, c'est une émotion normale et habituellement saine. Ainsi, ne vous sentez pas coupable d'un manque d'amour envers votre enfant quand celui-ci, quel que soit son âge, exprime sa colère. Au contraire, soyez fier qu'il puisse l'exprimer et veillez bien à ce qu'il ne la comprime pas en lui.

Être passif-agressif

À l'âge adulte, une colère rentrée, ravalée, réprimée, étouffée se manifeste par un comportement passif-agressif. J'ai déjà décrit ce phénomène en détail dans mon livre L'adolescent, le défi de l'amour inconditionnel*, mais je veux y revenir pour vous montrer la relation qui peut s'installer entre la colère et la toxicomanie.

Un comportement passif-agressif est le résultat d'une colère ravalée qui va inconsciemment sortir d'un enfant ou d'un adulte d'une façon néfaste. Les comportements suivants sont des comportements passifs-agressifs: le manque de ponctualité, les bouderies, les oublis, l'entêtement ou l'obstination, l'incompétence volontaire. Les individus passifs-agressifs détestent les règles et ils s'arrangent pour ne pas accomplir ce qu'on leur a demandé de faire. Les personnalités passives-agressives en veulent particulièrement à toute figure d'autorité.

Ce comportement n'est normal qu'à une seule période de la vie d'un individu: à l'adolescence, entre 12 ou 13 ans et 16 ou 17 ans. D'ailleurs vous avez dû remarquer qu'aux environs de son 13ᵉ anniversaire votre enfant a tout d'un coup changé: Il est devenu très intelligent selon son estimation à lui et vous êtes devenu très ignorant, encore une fois selon son estimation à lui; son vocabulaire s'est élargi à un très vaste non et il a commencé à se sentir frustré pour tout et pour rien.

---

* Disponible aux Publications Orion.

Ne vous inquiétez pas. Il est devenu un adolescent. Il a commencé à faire des essais pour pouvoir un jour s'envoler du nid... et puis il est en train de subir de nombreuses expériences frustrantes et parfois dévastatrices.

Je vous conseille de penser à des moyens pour que vous puissiez laisser votre enfant exprimer son comportement passif-agressif, sans que cela ne nuise à personne. Par exemple, vous savez très bien que les adolescents ont toujours ou presque, leur chambre en désordre. C'est tout simplement une forme de comportement passif-agressif. Voyez-vous, un enfant qui a été bien élevé va choisir des formes inoffensives pour exprimer son comportement passif-agressif: il va se mettre à porter des chaussettes toutes sales ou trouées, à avoir de mauvaises manières à table ou à ne plus ranger sa chambre.

Écoutez bien, dans le fond, c'est merveilleux. Vous demandez à votre adolescent de garder sa chambre en ordre et il vous laisse une pièce dans un désordre indescriptible. Mais n'est-il pas beaucoup plus facile de supporter le désordre d'une pièce que de chercher à rattraper un enfant qui se drogue?

Vous devez comprendre qu'il est impossible d'empêcher totalement votre enfant d'avoir un comportement passif-agressif. Ce comportement est avant tout inconscient et l'inconscient ne distingue ni le bien ni le mal. Tout ce qu'il ressent, c'est de la colère et le besoin de l'exprimer. Si vous enseignez à votre enfant à verbaliser sa colère et à la résoudre avec maturité, il deviendra bientôt un adulte fort. Cette étape passive-agressive n'aura détruit ni lui ni vous.

Plus une colère est vieille et ressassée et refoulée, plus elle prolongera la durée normale du comportement passif-agressif pour le faire durer bien au-delà de l'adolescence et peut-être même pendant toute la vie de l'individu. Je pense que vous commencez à comprendre l'importance de régler une colère sur le champ et de ne pas la laisser traîner.

Des adolescents en colère

Johnny Alton est l'exemple typique d'un enfant très en colère et chez qui l'usage des drogues en est l'expression directe. Ses parents, tant son père que sa mère, l'aiment mais sa mère est tellement absorbée par les problèmes que lui pose sa vie avec son mari alcoolique qu'elle ne démontre que très rarement son amour à son fils. Quant à son père, il a lui-même tant de problèmes avec sa dépendance à l'alcool qu'il passe peu de temps avec son fils.

Lorsque Johnny est venu pour sa première consultation, sa colère était évidente. Il ne voulait pas parler et maugréa:

«Je ne sais pas ce que je fais ici. Mon père a plus besoin de ça que moi.»

Je glissai:

«Bien, peut-être qu'il viendra un jour et nous ferons connaissance.

— N'y comptez pas, me dit Johnny sarcastiquement. Je n'ai jamais pu compter sur lui alors je ne vois pas comment vous pouvez penser que vous, vous pourriez.

— Comment ton père et toi, vous vous entendez? ai-je demandé à Johnny.

— Je vais vous le dire, Dr Campbell. Les seules fois où il me parle, c'est quand il se met à manquer de boisson et qu'il se met à m'accuser de l'avoir bue. Écoutez-moi bien, je ne bois pas. J'ai mieux que ça pour me stimuler. Je dis à mon père qu'il ne sait pas ce qu'il dit et il le sait! Puis ma mère commence à nous crier après et à m'accuser elle aussi. Je me demande si elle va jamais s'ouvrir les yeux.

— Que veux-tu dire?

— Je veux dire que je me demande si elle va jamais réaliser que mon père est un alcoolique. Mais je crois qu'elle le sait. Elle ne veut tout simplement pas l'admettre. C'est plus facile pour elle de m'accuser moi, car elle sait que je ne la frapperai pas tandis que mon père l'a déjà battue à plusieurs reprises.

— Je regrette d'entendre cela, Johnny. Ça doit être très pénible pour toi.

— Bof! Je file par en arrière et je vais fumer quelques joints avec mes copains. Lorsque je reviens, mes parents sont généralement déjà couchés et bien endormis.»

La source de la colère de Johnny n'est que trop évidente. Mais il en a une autre: Il a un handicap visuel. Et c'est ainsi que même si ses deux parents lui démontraient un amour normal, il aurait de la difficulté à le percevoir. Johnny n'est pas un arriéré mental. Il n'arrive tout simplement pas à déchiffrer ce qui est écrit, entre autres. Il souffre de dyslexie. Il lui est impossible d'utiliser la lecture comme un instrument de connaissance car les lettres pour lui, dansent, se renversent ou s'écrasent au point qu'elles deviennent indéchiffrables.

Maintenant, il vous est certainement facile d'imaginer ce que peut être pour Johnny, une simple journée d'école. Ajoutez à cela que chaque soir, il rentre dans un foyer où le père est alcoolique et il n'est pas difficile de comprendre pourquoi il s'est mis à toucher aux drogues. Il s'est senti bien avec elles, alors que rien dans sa vie actuelle ne lui donne ce sentiment.

Johnny vient à notre clinique une fois par semaine. Il arrive à sa mère de l'accompagner. Tous les deux travaillent dur pour régler les problèmes de Johnny, mais ils ont encore un long chemin à parcourir.

Pour ce qui est de Peggy Williams, c'est une autre histoire. Elle a toujours su que sa mère l'aimait mais celle-ci ne lui a jamais permis l'expression normale que toute personne et particulièrement une adolescente, doit avoir de la colère. Chaque fois qu'elle essayait de dire qu'elle était en colère à cause d'un événement ou d'une situation particulière, sa mère lui tendait un Valium et lui disait: «Tiens, prends ça et calme-toi.»

Un jour qu'elle était assise dans mon bureau et semblait vraiment pensive, elle leva la tête et me dit tout d'un coup:

«Vous savez, Dr Campbell, je crois que l'on ne m'a jamais permis de me mettre en colère et de crier et hurler. Mes amies le font. Lorsqu'elles me racontent leurs disputes avec leurs mères, je n'en crois pas mes oreilles. Ma mère, dès que je commence à parler un peu sérieusement ou si j'ose me mettre légèrement en colère et essaie d'argumenter avec elle, elle change tout simplement de sujet et me dit que c'est mal de discuter. Est-ce vraiment si mauvais que ça, Dr Campbell?

— Qu'en penses-tu, Peggy? Ne t'arrive-t-il pas de te disputer avec tes amies pour finalement tomber d'accord sur un point ou deux?

— Oui, bien sûr. Je discute bien pendant mes réunions de classe au sujet de ce que je pense que nous devrions faire, mais généralement personne ne s'enrage contre personne. Et l'autre jour, ma copine et moi nous nous sommes disputées au sujet d'une paire de souliers, mais ça s'est arrangé. J'étais fière d'avoir dit ce que je pensais. J'aimerais bien que ma mère comprenne cela. Elle veut des enfants parfaits. Elle déteste tellement les tiraillements que je suis sûre qu'elle ne s'est jamais disputée avec personne dans toute sa vie. C'est peut-être pour ça que mon père nous a quittées. Ma mère ne s'est jamais fâchée contre lui. Elle ne lui parlait jamais. Elle était juste là.

— Peggy, réalises-tu que ton usage de drogue est une expression de la colère que tu ressens envers ta mère?

— Oh! non, Dr Campbell, j'essaie de ne jamais me fâcher contre elle. Elle ne l'accepterait pas.

— Je sais Peggy, je sais que tu ne te disputes pas avec ta mère et que tu ne lui cries pas après, mais tout au fond de toi, sans même le réaliser, tu es terriblement en colère contre elle et tu touches à la drogue pour lui faire payer ça.

— Vous voulez dire que c'est inconscient? Je sais qu'il est inutile pour moi d'essayer de lui dire que je suis fâchée, alors je me drogue pour la faire payer? Vraiment, je n'ai jamais pensé à ça.

— C'est une raison. Il y en a d'autres. Mais tu commences à comprendre celle qui est fondamentale.»

J'étais heureux de voir que Peggy commençait à comprendre sa relation avec sa mère. Bien sûr, là aussi, il y avait encore du chemin à faire mais les choses commençaient à prendre forme.

Les tempéraments et les drogues

Peggy Williams est ce que j'appelle un tempérament «25». Au cours de mes nombreuses années de travail avec les enfants, j'ai trouvé pratique de les classer en deux tempéraments de base selon leurs réactions à l'autorité. Je vais vous donner une brève description de ces tempéraments afin de vous permettre de bien comprendre la colère de votre enfant. Mon expérience m'a enseigné qu'environ 75 p. 100 d'entre nous répondent à l'autorité avec un «poussez-vous de là, j'ai une vie à vivre et je n'ai besoin que personne me dise quoi faire» alors que 25 p. 100 vont répondre en disant: «Je ferai tout mon possible pour faire de mon mieux tout ce que vous me demandez.» Évidemment ces réponses de base peuvent être plus ou moins colorées, franches ou fortes chez certains individus mais tous, à des degrés divers, répondent d'une façon ou d'une autre.

Johnny Alton est un «75». Peu importe ce que ses parents ou ses professeurs lui disent, il va faire les choses comme il le veut. Peggy elle, je vous l'ai dit, est une «25» et il n'y a rien qu'elle désire plus que de plaire à sa mère, à ses amies, à ses professeurs et à n'importe qui d'autre dans sa vie.

Il est extrêmement important pour le développement de votre enfant que vous soyez au courant de son tempérament et que vous vous occupiez de lui en conséquence. Les «75» ont rarement de la difficulté à exprimer leur colère. Il faut donc leur apprendre à s'en occuper avec maturité.

Les «25» au contraire, vont jusqu'à faire des mains et des pieds pour conserver la paix. Bien qu'il semble qu'il soit plus difficile d'élever un enfant «75», c'est exactement le contraire qui est vrai. Les enfants «25» ont l'air doux et calmes, mais c'est parce qu'ils retiennent toute leur colère à l'intérieur, ce qui est, je vous l'ai dit, extrêmement destructif. Les «25» n'expriment pas leur colère car ils ne veulent pas de troubles et ces enfants sont tellement agréables qu'il est très facile pour leurs parents d'oublier qu'ils puissent être en colère. Ceux-ci ne leur apprennent ainsi jamais à manifester leur colère et à la résoudre avec maturité.

Ces deux tempéraments peuvent tomber en dépression à la suite d'une colère trop longtemps réprimée, mais cela semble être un problème surtout pour le tempérament «25». Comprenez bien que chaque tempérament a ses bons et ses mauvais côtés. Le «75» a besoin d'aide pour canaliser sa colère qu'il exprime et le «25» a besoin d'aide pour exprimer une colère qu'il cherche à réprimer. Je connais des personnes formidables qui sont de puissants «75» et des personnes tout aussi formidables qui sont de puissants «25».

J'ai deux fils. L'un est un «75» et l'autre un «25». David est mon «75». C'est un jeune homme merveilleux. Il fréquente le collège et a de bons résultats scolaires. Nous sommes très fiers de lui, comme nous le sommes d'ailleurs de tous nos enfants.

Mon épouse et moi-même, fûmes conscients presque dès son premier cri, que David était un «75». Il affichait constamment un air de «laissez-moi faire» et il n'a jamais eu aucune difficulté à nous faire savoir quand et pourquoi il était en colère. Pour notre part, nous avons toujours fait de notre mieux pour ne pas étouffer sa colère et nous l'avons constamment guidé afin qu'il apprenne à exprimer et à calmer sa colère d'une façon de plus en plus mûre.

Notre fils Dale, par contre, est notre «25». Il a toujours été un enfant très agréable et nous avons dû constamment être sur nos gardes afin de veiller à ce qu'il nous dise ce qui le dérangeait et le bouleversait. Chaque fois que nous remarquons qu'il est particulièrement calme et effacé, nous essayons de l'attirer dans une conversation qui lui permettra de nous dire ce qu'il a sur le cœur.

Évidemment, ne pensez pas que chaque fois que votre enfant est tranquille, il est troublé. La plupart des parents savent faire la différence entre un enfant calme et satisfait et un enfant silencieux et enragé. Il est cependant très important que tout comme le «75», l'enfant «25» apprenne à exprimer sa colère sans chercher à se détruire puis à l'apaiser avec maturité.

Je veux vous raconter l'histoire d'une enfant «25» qui n'a jamais pu sortir ce qu'elle avait sur le cœur. N'en tirez pas des conclusions générales pour les appliquer à tous les enfants «25», mais comprenez l'importance qu'il y a pour chacun de nous de pouvoir s'exprimer régulièrement et librement.

Joann est une jeune fille de 16 ans, pas très grande et aux bonnes manières. Elle est aussi une très forte «25» typique, déprimée et en colère. Un jour qu'elle était dans mon bureau recroquevillée sur sa chaise, elle me dit:

«Je me sens tellement coupable chaque fois que je n'arrive pas à satisfaire les désirs de mes parents. Vous voyez, Dr Campbell, j'ai toujours cru qu'il était beaucoup plus important de plaire aux autres que de tenir à mes idées. Et je le pense encore. Il est tellement plus facile de conserver le calme chez tous que de se disputer.

— Vraiment Joann? dis-je en l'interrompant. En ce moment même tu es une personne extrêmement malheureuse. N'as-tu pas autant d'importance que n'importe qui d'autre?

— Bien, je suppose, mais vous ne connaissez pas mon père et ma mère. Il a toujours été plus facile pour moi de plier à leurs exigences que de leur tenir tête. Par exemple, j'ai toujours été bonne en gymnastique, mais je n'ai pas obtenu la première place lors du dernier examen. Après la compétition mon père a commencé à m'expliquer où je m'étais trompée et au lieu de lui dire que je ne me sentais pas dans mon assiette, je me suis sentie coupable de l'avoir déçu et je lui ai promis que je ferai mieux la prochaine fois. Ça toujours été comme ça. Mais maintenant, je m'en balance. Je m'en fiche si je ne fais plus plaisir à personne plus jamais. Vous savez que ma mère ne s'énerve jamais? Aussi loin que je me souvienne, elle n'a pas cessé de me dire que de se fâcher n'était pas poli. Et donc, pour lui plaire, je ne me fâche jamais. En tout cas, je ne le montre pas. Mais au-dedans de moi, je ressens de la colère et cela me fait faire du remords. Est-ce que vous me comprenez, Dr Campbell?

— Bien sûr, Joann. Je comprends très bien combien tu as dû te sentir frustrée.

— Oh! je ne suis pas sûre que vous puissiez comprendre. En fait, je ne sais pas s'il y a quelqu'un sur cette terre qui puisse comprendre. Vous voyez, finalement, j'ai tout envoyé promener et voilà ce que ça m'a donné: je me suis retrouvée ici. Mais vous devez déjà le savoir. Vous devez savoir que j'ai essayé de me suicider. Vous devez croire que je suis vraiment une imbécile.»

Oh! non, je vous assure que je ne pensais pas que Joann est une imbécile. Je sais qu'elle souffrait énormément et j'avais décidé de tout faire en mon pouvoir pour la sortir ainsi que sa famille, de cette impasse. Car voyez-vous, non seulement Joann avait essayé de se suicider, mais encore elle avait touché aux drogues.

Je vous l'ai dit au début de ce chapitre: La colère est une cause fondamentale qui mène aux drogues. Plus, une colère ravalée produit un comportement passif-agressif qui est à la base, un comportement anti-tout. Or comme prendre des drogues permet aux jeunes de jeter un défi à l'autorité, il est facile pour eux, dès qu'ils en ont trop sur le cœur, de se mettre à en faire l'essai. Par ailleurs, les drogues constituent souvent une forme d'auto-médication, car elles endorment la souffrance d'un cœur meurtri.

La colère rentrée

Il était là devant moi assis comme un parfait gentleman, mais ses vêtements et ses longs cheveux sales et ébouriffés le trahissaient. Son apparence physique était un acte ouvert de rébellion contre l'autorité. Ses yeux noirs brillaient de colère. Ses manières empruntées étaient presque comiques mais sa situation était très grave.

«Bonjour Angelo, comment vas-tu aujourd'hui, lui lançai-je, lors de sa première visite à mon bureau.

— Très bien, je vous remercie, Monsieur, me répondit-il avec un air d'enfant de chœur.»

Il sourit. Je compris que parler avec lui n'allait pas être une mince affaire. Je me mis alors à consulter son dossier et fis semblant de m'y absorber. Cela me permit de rester silencieux. Il commença au bout d'un certain temps, à se tortiller un peu. C'était clair: Il ne voulait pas être dans mon bureau. Finalement, c'est lui qui rompit le silence:

«Êtes-vous en train de lire quelque chose dans cette paperasse qui va me permettre de ficher le camp? Je ne sais vraiment pas ce que je fais ici.

— Voyons un peu, Angelo. Il est dit ici que tu as été hospitalisé deux fois à la suite d'un surdosage de drogues. Est-ce exact?

— Ouais. Ça va mieux maintenant.

— Lorsque ta mère a téléphoné pour prendre un rendez-vous, elle a dit que tu étais prêt à parler à quelqu'un au sujet de ton habitude de prendre des drogues. Disait-elle la vérité?

— Ouais. Il faut lui en dire des choses pour qu'elle cesse de vous tomber dessus.

— Oui, comme quoi Angelo?

— Eh! bien comme que vous allez être extrêmement gentil et poli avec la vieille dame de l'autre côté de la rue, parce que si vous ne l'êtes pas, je vous le jure, elle va vous assommer. Ce qu'elle peut s'enrager! Mais, attention, Monsieur, si vous vous fâchez. Elle va vous laisser à demi-mort. Et puis, il faut absolument que vous alliez à l'église avec elle chaque semaine. Et si vous osez lui dire que vous m'en avez pas envie, elle s'assied et se met à pleurer et à vous raconter toutes les peines qu'elle se donne pour faire de vous un bon garçon, etc... Je vous assure, il est beaucoup plus facile de l'accompagner que de supporter ce genre de scène!

— Tu n'aimes pas aller à l'église?

— Oh! ce n'est pas trop mal, mais de temps en temps, j'aime bien faire autre chose comme rester au lit toute une matinée. Mais avec elle, c'est impossible car elle commence à me raconter des histoires à n'en plus finir et à me dire des bêtises comme: Dieu va te punir et d'autres choses du même genre. J'ai toujours pensé que Dieu, eh! bien, était bon. Vous comprenez ce que je veux dire. Mais je vous assure que ma mère est capable de vous faire changer d'idée. Elle peut vous donner peur à mort de Lui. Et puis, elle ne me laisse jamais raconter ma version des choses. Si vous avez le courage d'ouvrir la bouche et de vous plaindre de quoi que ce soit, elle est capable de vous envoyer rouler dans un remords d'un kilomètre de long. Rester à la maison, c'est l'enfer, alors je fais les travaux que j'ai à faire et je profite de toutes les occasions pour me faufiler.

— Quel âge avais-tu Angelo quand tu as commencé à te droguer?

— Oh! 11 ou 12 ans, je pense. Il y avait quelques garçons qui traînaient près du terrain de football et qui avaient toujours un joint ou deux de trop. Ils m'en ont fait goûter un. Bof! ce n'était rien de spécial mais j'avais l'impression d'être vraiment quelqu'un, alors j'ai continué. Finalement, c'est devenu une habitude. Il n'y a rien là... Tant que ma mère croyait que j'étais un bon petit garçon qui jouait à un jeu respectable le samedi après-midi, elle était contente. Et je me suis dit que ce qu'elle ne savait pas, ne pouvait pas lui faire de mal. J'ai donc continué. Mais ce surdosage est un accident. Un copain m'a joué un mauvais tour.»

Angelo avait perdu ses manières empruntées et il commençait à s'ouvrir.

«Et le second surdosage?

— Je ne sais pas. Je pense que j'ai voulu me prendre pour quelqu'un d'autre et j'ai fait quelque mélange savant. Ce fut un mauvais voyage.»

Voilà, Angelo est un autre enfant étouffé par ses parents qui lui interdisent de s'exprimer et qui refusent toute communication avec lui. Encore une fois ce cas-là nous montre combien une colère refoulée peut être dévastatrice. Il faut le comprendre: tôt ou tard, une colère qui n'a pas été apaisée, va sortir. Ce n'est toujours qu'une question de temps et de circonstances.

Exprimer la colère verbalement

Mon plus grand problème probablement, est d'arriver à faire comprendre aux parents l'importance de faire face correctement à la colère de leurs enfants. Lorsque je dis que nos enfants doivent apprendre à traiter leur colère avec maturité, mais que cela ne peut absolument pas se faire s'ils n'ont pas le droit de dire ce qu'ils ont sur le cœur, de nombreuses personnes ne sont pas d'accord avec moi. Ces gens croient que j'encourage les cris, les hurlements et les coups de pieds. Pourtant pour apprendre à nos enfants à faire mieux et autrement, il faut commencer par leur permettre de s'exprimer.

D'autres personnes croient qu'exprimer sa colère, c'est la déverser de toutes ses forces sur n'importe quoi qui se trouve à sa portée et elles pensent que je suis d'accord qu'un enfant frappe un autre enfant ou ses parents, et se mette à tout casser. Non! ce n'est pas cela que je veux dire. Ce qu'il faut, c'est créer dans le foyer un tel climat de confiance qu'un enfant puisse, directement et sans détour, *dire*: Ceci m'a fâché; cela m'a enragé; j'en veux à untel. Je vous l'ai dit: ne pas parler mais briser des objets ou hurler contre quelqu'un ou quelque chose qui n'a aucun rapport avec la cause de sa colère, est inadéquat. Il faut enseigner à nos enfants à ne pas agir ainsi. Par contre, il ne faut surtout pas leur dire de se taire!

Les enfants sont bombardés de situations génératrices de colère. Pensez à l'escalade des divorces, des difficultés en milieu scolaire et des abus sexuels. Partout, où que l'enfant se tourne, il a mille raisons d'être irrité. Les parents doivent donc redoubler de vigilance et comprendre quel est leur devoir envers leurs enfants: Ils doivent les amener à se confier à eux et ils doivent savoir les écouter en tout temps.

Par-dessus tout cela, il y a la télévision, les journaux et toute la publicité qui hurlent à tue-tête que tout le monde doit être heureux. Personne ne doit accepter de se sentir mal. Il faut sourire car la vie doit être belle. Les conséquences d'une telle publicité sont évidentes: pour y obéir, les enfants se tournent vers les drogues. Peut-on leur en vouloir?

Maintenant, je voudrais que vous retourniez au début de ce chapitre et que vous repassiez le test. Alors que vous le remplissez, ayez à l'esprit chacun de vos enfants. Cherchez à savoir quel est leur tempérament à tous. Puis interrogez-vous sur votre propre façon de considérer la colère. Êtes-vous comme les parents de Joann ou comme la mère d'Angelo? Veillez-vous avec soin à ce que vos enfants ravalent leur colère? Il est peut-être temps de réviser votre façon d'agir dans votre foyer. N'espérez pas cependant, des miracles du jour au lendemain. Cela fait longtemps que vous agissez d'une certaine manière. Il faudra donc attendre un peu de temps pour que vous puissiez voir les résultats de vos changements.

1. Le café et le sucre sont de très grands irritants du système nerveux. Voir *Le mal du sucre*, Orion, Québec, 1988.
2. Voir de Robert G. Barnes, *Le parent seul*, Orion, Québec 1987; un livre qui offre des solutions concrètes aux multiples difficultés qui assaillent tous ceux qui se trouvent seuls au monde avec des enfants à élever.

4

La dépression
et les drogues

*«Mon bébé est né à six mois de gros-
sesse et il n'a vécu que quelques heures. Je
me suis sentie tellement coupable que j'aurais voulu mourir. Si je ne m'étais pas droguée ma fille serait vivante aujourd'hui. Il
y a des jours où je me sens si mal que je
pense à me suicider. Je veux mon bébé.»*

Maureen, 16 ans, droguée

La dépression est aussi une cause de l'usage des
drogues. Je veux vous en parler mais je vais vous donner
tout d'abord quelques faits importants que vous devez
connaître au sujet de la dépression juvénile.

● Les professionnels de l'enfance rencontrent de
plus en plus d'enfants et d'adolescents qui souffrent de
dépression juvénile.

● Il est facile de voir qu'un adulte est déprimé;
mais il est difficile de détecter la dépression juvénile
juste en se basant sur l'apparence physique d'un enfant.

● Les causes sous-jacentes de la dépression sont
complexes, mais les abus physiques et les abus sexuels
(inceste) sont deux causes majeures de dépression chez
les enfants et les adolescents.

- Une dépression ne se guérit pas spontanément.
- Un enfant en dépression et en colère est une proie facile pour la drogue.

Je vais vous expliquer tout cela en détail. Commençons par la deuxième déclaration de cette liste. Peu de temps avant que je commence à travailler sur ce livre, j'ai déjeuné avec un ami pédiatre de notre région. Il me dit: «Vous savez Ross, parfois j'ai envie de suspendre à la porte de mon bureau une plaque disant: Grand-père en service. Écoutera.»

Je me mis à rire:

«Attention, là vous êtes sur mon terrain.

— Je sais Ross, mais beaucoup de mes patients sont les parents des enfants qui viennent me consulter. Voilà, je vous donne un exemple. Hier seulement, une maman de 26 ans m'a amené sa fille de 10 ans. L'enfant se plaignait de maux de ventre et de tête. J'ai demandé depuis quand cela durait. La mère m'a répondu que cela semblait avoir commencé tout juste après que son mari les ait quittées, il y avait environ 10 mois. Elle n'avait pas pu m'amener l'enfant plus tôt car elle travaillait à temps plein le jour et avait un emploi à temps partiel dans un restaurant trois nuits par semaine et en plus, elle n'avait pas de gardienne qui aurait pu venir avec l'enfant. Ross, je me suis bientôt retrouvé en train d'écouter les troubles de la mère et j'ai réalisé qu'elle avait autant et si pas plus, besoin d'aide que sa fille. Elle ne peut compter sur personne. Le père ne lui donne aucune pension. Elle doit se débrouiller toute seule.

Après avoir examiné l'enfant, je fus convaincu que son problème provenait d'une dépression, mais j'ai quand même exigé qu'elle passe quelques tests pour éliminer toute possibilité d'une cause physique à son problème. Puis j'ai suggéré à la mère qu'elle recherche pour elle et son enfant, des conseils professionnels.

Je me sens parfois tellement incompétent, Ross. Vous comprenez pourquoi je ressens le besoin d'être un grand-père compréhensif pour certains de mes patients, mais je n'ai absolument pas le temps pour cela. Et je ne suis pas le seul à avoir ce problème. Mes collègues arrivent aux mêmes conclusions car même dans les familles entières, on observe une augmentation constante du nombre d'enfants que nous sommes obligés de diagnostiquer comme étant dépressifs.»

Je dus acquiescer. Je fais les mêmes observations. Je lui demandai:

«Quelle est d'après vous, la raison de cette augmentation?

— À mon avis, la vie est devenue tellement fragmentée que les parents n'ont plus de temps à passer avec leurs enfants. Évidemment, ce sont ces parents-là qui sont les premiers à trouver leur métier de parents frustrant et qui cherchent à s'en défaire le plus possible.

Ils se mettent alors à poursuivre des activités multiples en dehors du foyer, ce qui leur laisse bien sûr, encore moins de temps pour leurs enfants. Tout ça produit chez ces enfants abandonnés à eux-mêmes, énormément de frustration et d'amertume qui trop souvent débouchent sur la dépression. En tant que pédiatres, nous voyons un nombre inhabituel et massif d'enfants de 8, 9 et 10 ans qui se plaignent de symtômes vagues comme des maux de tête, de ventre, d'estomac et des douleurs à la poitrine et qui, après un examen approfondi, doivent être diagnostiqués comme étant en dépression.

Ces enfants proviennent autant des familles les plus riches que des familles les plus pauvres, mais ils ont une caractéristique commune: ils sont tous livrés à eux-mêmes.

Par exemple, j'ai pour patients des enfants qui doivent se prendre en main et s'occuper de leurs affaires à un âge beaucoup trop tendre. On les force à jouer aux adultes alors qu'ils n'ont aucune maturité pour cela. Prenez la petite fille dont je vous parlais. Elle rentre de l'école chaque soir dans une maison vide, et elle doit faire une certaine quantité de travaux ménagers et mettre en train le repas avant de commencer à faire ses devoirs...»

Le manque d'amour inconditionnel provoque la dépression

Je ne pus cesser de penser à cette conversation ce jour-là. Mon ami et collègue rencontrait le même problème que moi: une augmentation marquée de la dépression juvénile. Plus, il y trouvait les mêmes raisons que moi: un effondrement de la structure familiale.

Pourrai-je jamais insister assez sur la nécessité absolue pour chaque enfant dans ce monde, d'être aimé — plus, d'être aimé *inconditionnellement*. Malheureusement les familles ne se sentent plus responsables de combler ce besoin chez leurs membres et le résultat immédiat en est des individus en colère. Or la colère mène directement à la dépression. Et comme les drogues illicites sont devenues maintenant courantes et faciles à obtenir, elles constituent un moyen rapide de soulagement pour un enfant qui ressent la morsure d'une colère et la douleur d'une dépression.

Beaucoup de professionnels qui traitent les toxicomanies disent que les drogues et l'alcool ont causé la dépression. C'est vrai jusqu'à un certain point, mais trop souvent on oublie que la majorité des enfants qui se droguent sont déjà déprimés parce que leur besoin légitime et fondamental d'être aimés n'est pas comblé. En général, je l'affirme, c'est la dépression qui mène à l'alcool et aux drogues. Naturellement, une mauvaise expérience de la vie doublée de l'usage de l'alcool et des drogues ne fait qu'augmenter la dépression.

Il est essentiel quand on veut traiter la dépression de garder à l'esprit qu'un enfant déprimé est un enfant en colère. Il faut aussi comprendre que plus il sera en colère, plus il sera déprimé. Le seul moyen de prévention de la dépression juvénile est la tendresse d'une relation pleine d'affection. Un enfant aimé inconditionnellement — peu importe ce qu'il est ou ce qu'il fait et cela en tout temps — est un enfant qui va fleurir et s'épanouir. Un enfant qui n'est pas aimé ou qui ne se sent pas aimé, va s'amenuiser et subir la souffrance que causent la colère et la dépression.

Autres causes de la dépression

La dépression peut être légère et relativement facile à guérir ou profonde. Une crise de dépression grave peut très souvent survenir à la suite d'un abus émotionnel, physique ou sexuel. Hélas, ces abus-là sont aussi à la hausse dans notre société. Les adolescents qui ont ainsi été maltraités non seulement tombent en dépression, mais souvent ils vont essayer de se suicider ou ils vont se jeter dans la prostitution ou encore se lancer dans les drogues. La souffrance qu'ils ressentent est catastrophique. Ils ont le sentiment de n'avoir aucune valeur.

Tami, une de mes patientes, venait de faire une fugue qui avait duré deux semaines lorsque sa mère s'est décidée à me l'amener.

«Eh! bien Tami, les choses n'ont pas l'air d'aller trop bien, n'est-ce pas? Y-a-t-il quelque chose en particulier dont tu aimerais parler?

— Je suppose que je ne suis qu'une gueuse, me répondit-elle, en fixant le plancher. J'ai raté ma vie et la vie de ceux qui m'entourent. Qu'ai-je à dire d'autre?»

Au cours de cette première consultation, Tami ne me regarda pas une seule fois dans les yeux. Il fallut plusieurs consultations pour que cette jeune fille révèle finalement la véritable raison de sa fugue.

«Ce n'est pas quelque chose dont je veux parler, me dit-elle, mais vous êtes aussi bien de le savoir. Mais il ne faut pas que vous le disiez à ma mère. Elle en mourrait. Voyez-vous, ce type qu'elle a épousé l'été dernier n'a pas cessé et ne cesse pas de vouloir me séduire.»

Elle soupira et baissa les yeux.

«Tami, as-tu cédé à ses avances?

— Oui, il ne me laissait pas tranquille, alors j'ai abdiqué. Puis j'ai été dégoûtée de tout ce gâchis et je me suis enfuie.»

La guérison de Tami va prendre du temps. Elle a été profondément blessée et la douleur et la colère qu'elle a ressenties vont mettre longtemps à s'atténuer et à disparaître. Elle est retournée à l'école et nous travaillons de concert avec son conseiller scolaire et son médecin généraliste. (Tami a des problèmes de santé à la suite d'un avortement.) Cette enfant se droguait, oui, mais en prenant le temps de se pencher sur sa vie, il a été possible de voir que sa dépendance n'était que la pointe d'un iceberg de problèmes autrement plus profonds et plus graves. Vous comprenez pourquoi j'insiste tant sur la nécessité de prendre en considération tous les aspects de la vie d'un enfant qui se tourne vers les drogues.

Valérie, une «25» déprimée

Maintenant je veux vous parler du tempérament «25» et de sa façon à lui de tomber en dépression, puis de se tourner vers les drogues. Si vous vous en souvenez bien, le «25» est un individu qui aime la paix et qui essaie de plaire à tout le monde.

Valérie, une jeune fille de 17 ans, plutôt petite et trapue, est venue me consulter après une tentative de suicide. Je m'étais préparé à sa première visite en obtenant ses dossiers scolaire et médical. Je les avais étudiés et d'après les rapports médicaux que j'avais sous les yeux, elle semblait être en bonne forme. Pour ce qui est de ses notes, elles étaient bonnes et même légèrement au-dessus de la moyenne. Sa fréquentation scolaire était régulière. Cependant je remarquai que sa moyenne s'était brusquement abaissée vers l'âge de 14 ans et qu'elle s'était maintenue ainsi jusqu'à présent.

En étudiant son dossier familial, je vis que lorsque Valérie avait 13 ans, sa mère avait donné naissance à des jumeaux puis, deux ans plus tard, à un autre garçon.

Ses parents ont accompagné Valérie lors de sa première visite. Il fut tout de suite évident qu'ils étaient tous les deux très inquiets à son sujet. Ils me dirent: «Nous aimons énormément notre fille, Dr Campbell, et nous comptons sur vous pour que vous puissiez mettre le doigt sur le problème.»

Les parents de Valérie sont des gens qui semblent bien dans leur peau. Ils sont bien habillés. Son père est un ingénieur en mécanique et sa mère était institutrice. Leur bonne réputation dans leur communauté, leur participation active dans leur église et leur inquiétude profonde pour leur fille m'ont indiqué que leur famille, à la base, est une bonne famille bien structurée.

Je me dis: «Mais alors, comment se fait-il que Valérie se soit sentie si mal que sa seule échappatoire fut le suicide?» Rien dans tous les dossiers consultés ne me fournissait l'indice d'un problème grave. Je m'adressai à Valérie: «Qu'en penses-tu? Crois-tu que tes parents, moi-même et toi pouvons répondre à certaines de tes questions et trouver des solutions à tes problèmes afin que tu te sentes mieux?»

Valérie me regarda avec des yeux éteints. Elle tenait une mèche de cheveux entre ses doigts et elle ne cessait pas de jouer avec. Elle me répondit tranquillement: «Je suppose que l'on peut arriver à quelque chose, mais je déteste voir tout le monde se donner tant de mal. Je vais probablement commencer à me sentir mieux dans un jour ou deux.»

Lors de cette première visite, nous avons tous parlé ensemble. Ses parents, avec beaucoup de fierté, m'ont parlé de leurs trois garçons. À l'occasion, Valérie me racontait quelque chose à leur sujet et je vis qu'elle aussi les aimait et était fière d'eux. À la fin de cette séance, je demandai à Valérie si elle voulait bien venir toute seule pour la prochaine consultation. Elle me dit: «Bien sûr, si papa et maman sont d'accord.»

Lors de la deuxième séance, Valérie commença à s'ouvrir le cœur. Je pus bientôt voir qu'elle était une «25». Jusqu'à l'âge de 13 ans, elle avait été enfant unique. Elle était une bonne élève et aimait l'école. Puis soudain, l'arrivée prochaine de ses frères jumeaux provoqua des changements drastiques dans sa vie.

La grossesse de sa mère fut difficile et exigea qu'elle se repose énormément. Valérie ne pouvait plus jouir de la liberté dont elle avait joui jusqu'à ce jour et aller et venir avec sa mère comme bon lui semblait. Malheureusement cela survenait à un moment où Valérie subissait les changements physiques et émotionnels dramatiques de la puberté. Ces soucis additionnels furent de trop pour elle.

«J'étais très heureuse, Dr Campbell, de savoir que nous avions des jumeaux. J'étais excitée mais j'étais aussi très soucieuse pour maman. Je faisais tout ce qu'elle me demandait. Papa était tellement habitué à avoir une maison en parfait ordre qu'il rouspétait beaucoup après moi lorsque les choses n'étaient pas comme il voulait. Mais il était aussi inquiet au sujet de maman et c'est probablement pour cela, en partie, qu'il était tellement grognon.

J'essayais donc de ne pas trop prendre à cœur ses rouspétances et de ne pas me fâcher quand il me criait après. De toute façon, vous pouvez être sûr que j'ai été drôlement heureuse quand les jumeaux sont finalement venus au monde et que tout le monde était sain et sauf.

Je n'oublierai jamais le jour où ils sont tous rentrés de l'hôpital. J'avais décidé de faire une surprise à maman et à papa et alors j'ai préparé un rôti et je l'ai mis au four. Puis j'ai téléphoné à toutes mes amies pour leur annoncer que les jumeaux étaient en chemin pour la maison, mais je suis restée au téléphone si longtemps que le rôti a complètement brûlé. La maison sentait horriblement mauvais.

Lorsqu'ils sont arrivés tous les quatre, papa a été vraiment bouleversé et il s'est mis à hurler contre moi. Il m'a dit qu'il semblait que j'étais incapable de ne rien faire de bon et il a commencé à ouvrir toutes les portes et les fenêtres pour aérer la maison. Puis il m'a ordonné de nettoyer le four et de préparer à ma mère un repas quelconque pendant qu'il l'aidait à s'installer avec les jumeaux. Je n'ai même pas pu les serrer dans mes bras jusque tard dans l'après-midi...

À partir de ce jour-là, j'ai ressenti que je ne pourrai jamais en faire assez pour papa et maman. J'essayais tellement de tout faire bien que je n'arrivais qu'à tout embrouiller. Je me sentais misérable d'avoir gâché leur rentrée à la maison et plus j'essayais de me racheter, pires les choses devenaient.

Je ne passais plus beaucoup de temps avec maman ni avec les garçons et plus du tout avec papa. Il avait pris un emploi à temps partiel pour pouvoir payer les frais médicaux de la grossesse et de l'accouchement. Maman n'est pas retournée travailler car tout de suite après le premier anniversaire des jumeaux, elle m'a annoncé qu'elle était à nouveau enceinte.

J'ai détesté l'entendre dire cela. Oh! Dr Campbell, j'aimais bien les garçons, mais je dois l'avouer, par moments, je les détestais. Chaque fois que j'avais besoin de maman, ils en avaient aussi besoin. Tout était totalement bouleversé. Parfois je souhaitais qu'ils ne soient jamais nés.»

Valérie baissa la tête et se mit à pleurer.

«Je me sens si mal de dire cela, sanglota-t-elle. Personne dans ce monde ne devrait haïr ses petits frères, mais moi je le fais.

— Valérie, je comprends que tu aies eu de tels sentiments. En as-tu jamais parlé à ta maman ou à ton papa?

— Oh! non, car alors, pour sûr, ils m'auraient détestée. On avait déjà assez peu de temps ensemble comme c'était là. Je ne voulais pas en plus les fâcher contre moi. Je ne les aurais plus eu du tout. Je ne me suis jamais plainte et je ne les ai jamais embêtés avec mes problèmes. Mais lorsque maman m'a dit qu'elle aurait un autre bébé, j'ai voulu mourir. J'étais tellement enragée. Je ne voulais plus de bébé dans la maison, deux à la fois, c'était assez. Je me suis mise à haïr ce bébé bien longtemps avant qu'il n'arrive. Bien entendu, il n'était pas question de dire à mon père ou à ma mère ce que je ressentais. Ils auraient été abasourdis.

Au moment où le nouveau bébé est arrivé, papa avait un nouvel emploi et il gagnait beaucoup plus d'argent. Il a donc engagé une femme de ménage pour aider maman. Cela m'a donné beaucoup plus de temps libre et vous pouvez être sûr que je ne l'ai pas passé à la maison. Tout le monde était tellement absorbé par les bébés que je ne leur manquais pas du tout. Mais moi, je me sentais misérable.

— Que veux-tu dire, Valérie? Tu étais malade?

— Non, Dr Campbell. Je veux dire que j'étais constamment triste. Je m'ennuyais de ce temps où j'avais mes parents tout à moi.

— Ont-ils cessé de te parler ou de t'emmener avec eux?

— Oh! ils m'auraient probablement emmenée avec eux si je leur avais demandé, mais ils ne pensaient qu'aux garçons. Papa n'était plus aussi grognon. Je suppose que c'est parce qu'il n'avait plus autant de soucis d'argent, mais son nouvel emploi le forçait à s'absenter souvent loin de la maison. Alors lorsqu'il avait un peu de temps libre, c'était pour le passer avec maman et les garçons. De temps en temps, ils faisaient une promenade en voiture et ils me demandaient de venir avec eux, mais je ne voulais pas me trouver constamment en présence de ces bébés. Vous devez croire que j'étais pas mal égoïste, n'est-ce pas?

— Te sentais-tu égoïste, Valérie?

— Non, pas égoïste, juste seule. Mais je me suis fait de nouveaux amis à l'école et quelques-uns d'entre eux fumaient des joints. De toute façon, ils étaient très agréables à fréquenter et je ne me sentais plus aussi seule. Un jour, ils m'ont convaincue d'essayer à mon tour de fumer un joint. Je me suis sentie réellement coupable. Je savais que si papa et maman l'apprenaient, ils seraient terriblement déçus de moi.

— Valérie, tu te soucies beaucoup de ce que les autres pensent de toi, n'est-ce pas?

— Certainement et n'est-ce pas correct? Mes parents, mes voisins, mon grand-père, ce qu'ils auraient été déçus s'ils avaient su que je touchais à la drogue! Mais je n'ai pas cessé. Je me sentais mieux quand je fumais; par contre quand je rentrais à la maison, je me sentais coupable. Plus je fumais, plus je me sentais bourrelée de remords et plus je fumais alors. N'est-ce pas ridicule? Finalement, je me suis fichée de tout. Mes parents pensaient que j'avais de bons copains et que je me plaisais en leur présence. Mais chaque soir, je me droguais et je me sentais misérable car ils me faisaient tellement confiance! À ce point, j'avais abandonné la marijuana pour la cocaïne.

Je ne faisais aucun bruit à la maison car je ne voulais pas que qui que ce soit devine ce que je faisais. Finalement, c'en fut trop. Je n'étais plus jamais avec mes parents ni mes frères. Ils ne me demandaient plus de les accompagner nulle part ou de passer le moindre temps avec eux. Je suppose qu'ils pensaient que je passais par une phase où j'étais gênée d'être avec eux. S'ils avaient seulement su! De toute façon, j'allais à la dérive loin d'eux. Plus rien ne m'importait, excepté la cocaïne. Un soir, nous nous sommes réunis avec un groupe de copains et nous avons commencé à agir d'une manière ridicule. J'ai pris un tas de pilules et me voici ici.

J'ai dit à mes copains que j'allais prendre ces pilules parce que je voulais mourir. Mais la chose la plus ridicule, Dr Campbell, c'est que je ne pensais pas que je mourrais vraiment. Je pensais que mes parents verraient combien je me sentais mal et qu'ils m'aimeraient de nouveau. Vous voyez bien, vous devez avoir à faire à une folle. Qui, excepté une folle, annoncerait qu'elle voulait mourir, prendrait des pilules puis espérerait ne pas mourir?»

Les parents de Valérie furent bouleversés lorsqu'après plusieurs consultations pénibles et douloureuses, ils se rendirent compte de la souffrance de leur fille. «Oh! Valérie, si seulement tu nous avais dit quelque chose, s'exclama son père dans un sanglot profond. Combien j'ai été aveugle à tes besoins.»

Je l'interrompis: «Je veux vous faire remarquer quelque chose. En tant que parents, vous avez fait tout ce que vous saviez que vous deviez faire à ce moment-là. Ni l'un ni l'autre, vous n'étiez au courant du tempérament «25» de votre fille. Ni l'un ni l'autre, vous n'étiez au courant de la dépression juvénile. Elle est souvent difficile à dépister, même pour un professionnel. Ne laissez pas le remords entraver votre guérison.»

Après plusieurs semaines de thérapie familiale et individuelle — nous avions même inclus à quelques reprises les trois petits frères — Valérie a retrouvé quelque estime de soi et sa dépression a été soulagée. Elle a appris à connaître ses forces et ses faiblesses et à comprendre qu'elle n'était pas responsable de tous les problèmes du monde. Ses parents, pour leur part, ont appris à être plus sensibles à ses besoins et à y répondre en l'attirant dans leurs conversations et en lui permettant d'exprimer ses sentiments. Il ne fut pas facile pour eux de mettre à découvert les inquiétudes de Valérie car ils avaient toujours été habitués à une Valérie calme, docile et sans problèmes.

Cependant les parents de Valérie sont des gens intelligents et sensés et non seulement leur fille mais aussi ses trois jeunes frères retireront de sa souffrance, une bonne leçon. Je suis convaincu que les parents de Valérie ne répéteront pas les mêmes erreurs avec ses jeunes frères.

C'est avec bonheur que je n'ai pu m'empêcher de remarquer le changement qui s'est installé dans l'apparence physique de Valérie au fur et à mesure de nos entretiens. La dernière fois que je l'ai vue j'ai noté qu'elle avait changé de coiffure et qu'elle était habillée avec beaucoup de goût. J'aime mon travail et aider des individus comme Valérie et sa famille me prouve qu'il en vaut la peine.

Reconnaître la dépression juvénile

Le cas de Valérie nous prouve combien il est important de trouver des moyens d'identifier la dépression juvénile. Je veux insister sur ce point: la dépression peut être guérie. Si vous soupçonnez que votre enfant est dépressif, ne perdez pas de temps pour contacter quiconque est en relation directe avec lui: ses professeurs, son conseiller scolaire, etc. Demandez-leur de vous aider à cerner les signaux d'avertissement de la dépression juvénile que je nomme ci-après:

• Si votre enfant n'est que légèrement déprimé, vous allez remarquer qu'il n'arrive plus à se concentrer aussi longtemps qu'il avait l'habitude de le faire. Il souffre d'*une courte durée de l'attention*. Son esprit va vagabonder et il sera facilement distrait de ses occupations. Ce problème est évident au cours des séances quotidiennes de devoirs et leçons : il lui est pénible de se concentrer sur son travail et plus il s'efforce de le faire, moins il avance. Évidemment, cela le frustre et lui donne le sentiment qu'il n'est pas à la hauteur de la tâche. Il se blâme et trouve qu'il est vraiment stupide. Son estime de soi en reçoit un coup car il considère son incapacité à faire son travail scolaire, comme une preuve de son manque d'intelligence.

• *Les rêvasseries*, évidentes tout particulièrement en classe, sont aussi une manifestation de la dépression. Alors que celle-ci augmente, sa durée de l'attention va encore diminuer et votre enfant sera de moins en moins capable de se concentrer. À ce point, c'est son professeur qui est le mieux placé pour identifier son problème. Malheureusement, beaucoup de professeurs — c'est assez naturel — considèrent que rêvasser en classe est un signe de paresse ou de mauvaise volonté. Cela peut être bien souvent le cas, et je dois mentionner ici qu'on ne peut pas établir un diagnostic de dépression seulement sur un ou deux symptômes. Il faut pouvoir observer le développement graduel d'une constellation de symptômes.

• La conséquence directe d'une courte durée de l'attention et des rêvasseries en classe va être *un abaissement de la moyenne des notes*. Cet abaissement cependant va être tellement subtil qu'il va passer, pendant un certain temps, inaperçu. La plupart des parents et des professeurs voient dans cet abaissement progressif des notes, tout simplement une preuve du manque d'intérêt de l'élève pour un ou plusieurs sujets. Or comme les notes en général, passent d'un A à un A −, d'un B à un B −, la dépression dans cette dégringolade est rarement prise en considération. (Si les notes faisaient une plongée bien marquée, de A à D, par exemple, en un seul trimestre, cela soulèverait une inquiétude justifiée.)

• *L'ennui* est un phénomène normal chez les adolescents, plus particulièrement chez les jeunes adolescents, mais il est toujours de courte durée. Par exemple, votre adolescent peut ne rien trouver à faire pendant une heure ou deux ou même une journée ou deux. Il peut avoir l'air désœuvré et même vous déclarer qu'il s'ennuie royalement. Ne vous alarmez pas et ne posez pas immédiatement un diagnostic de dépression. Par contre, si l'ennui se prolonge et dure plusieurs jours, cela pourrait très bien être un signe précoce que quelque chose ne va pas. Vous remarquerez bientôt que votre jeune cherche à s'isoler et désire rester tout seul dans sa chambre. Là, couché sur son lit, il va rêvasser ou écouter de la musique pendant de longues périodes de temps. Rien de ce qui l'intéressait auparavant n'arrivera à le faire sortir de sa mauvaise humeur. Il y a peu de choses qui m'alarment autant que l'ennui prolongé chez un adolescent et plus particulièrement chez un jeune adolescent (12 à 15 ans).

• Maintenant, au point où il en est, votre jeune commence à souffrir *d'une dépression somatique.* Bien que toute dépression soit physiologique ou qu'elle ait toujours une base biochimique et neurohormonale, les symptômes de sa dépression vont commencer à affecter votre enfant physiquement et d'une manière directe. Il vient de glisser dans une dépression modérée. Il commence à avoir des maux de tête ou des douleurs dans la région en bas du milieu de la poitrine. Il peut aussi se plaindre de douleurs vagues à l'estomac.

• Finalement, l'enfant se sent si malheureux qu'il va se replier sur lui-même et cesser de fréquenter ses copains habituels. *Le repliement sur soi,* par contre, ne va pas l'amener à s'éloigner tout simplement d'eux. Il va chercher à se rendre odieux à leurs yeux par une humeur belliqueuse et exécrable. Il en résultera une aliénation complète et c'est à ce point que les drogues vont faire leur entrée en scène. Poussé par sa terrible solitude, votre jeune va rechercher la compagnie de mauvais camarades dont il désirera à n'importe quel prix l'amitié. Ceux-ci vont alors exercer sur lui une pression pour qu'il fasse usage de drogues mais, vous pouvez bien le constater, la pression des copains dans ce cas, n'est pas la cause première de la prise des drogues. C'est la dépression.

La chose la plus incroyable au sujet de la dépression juvénile est que, même à ce stade, votre jeune ne sait pas encore qu'il est déprimé. Il est dans un état de misère extrême et sa douleur physique et mentale est par moments, intolérable. C'est ainsi qu'il va essayer d'extérioriser sa détresse.

Faire quelque chose qui a un air palpitant et risqué soulage, pour un temps, la douleur de la dépression. Les garçons déprimés ont couramment recours au bris et à l'effraction. Ils vont aussi voler, mentir, se battre, conduire à toute vitesse et afficher un certain nombre d'autres comportements antisociaux. Lorsque l'on me réfère un jeune pour bris et effraction, mon premier souci est toujours d'arriver à déterminer jusqu'à quel point il pouvait être déprimé au moment de l'action. Bien entendu, la dépression n'est pas la seule et unique cause de ce genre d'activité, mais il est important de chaque fois se pencher sur la totalité d'un individu et non pas de s'attaquer à un de ses gestes isolé ou non. Il est triste de constater que beaucoup de gens qui s'occupent des jeunes se concentrent strictement sur leur conduite sans chercher à la relier à des problèmes plus profonds.

Maintenant que les médias affichent la brutalité et qu'ils en ont fait un mode de conduite acceptable, beaucoup de filles se mettent à extérioriser leur dé-pression en posant des gestes violents. Par contre, elles le font encore moins souvent que les garçons, et en général, elles se tournent plutôt vers la promiscuité sexuelle car leur souffrance semble être soulagée par l'intimité que leur procure cet acte. Hélas, lorsque tout est terminé, ces pauvres filles se sentent coupables et leur dépression s'accentue pour devenir chaque fois plus profonde.

La dépression peut aussi être à l'origine d'échecs scolaires et de tentatives de suicide mais elle conduit presque toujours à l'usage et à l'abus des drogues car celles-ci anesthésient la douleur de la dépression. Vous connaissez cependant le cercle vicieux: dès que la drogue a été éliminée du système, la souffrance qui est toujours restée là, réapparaît et l'enfant, pour la faire taire à nouveau, se voit obligé de prendre à nouveau de la drogue; mais d'une fois à l'autre, il lui en faut plus. Pour lui, le chemin de la dépendance totale est ainsi tout tracé. Je le répète, il est impossible de mettre sur le dos des copains tout le blâme de l'usage des drogues chez les jeunes. La dépression en est une cause primordiale.

La dépression juvénile est un phénomène complexe aux causes et aux effets multiples. Elle est subtile parce que, dans la majorité des cas, elle reste ignorée et extrêmement dangereuse, car si elle n'est pas diagnostiquée à temps, elle peut conduire au suicide. Or combien et combien de cas de dépression juvénile sont complètement ignorés?

La dépression juvénile n'est pas aussi facile à identifier que la dépression adulte. Alors qu'un adulte déprimé a l'air misérable, un jeune qui souffre d'une dépression modérée agit d'une façon normale et ne manifeste aucun signe extérieur de dépression. C'est un problème que même un parent peut avoir de la difficulté à cerner. Cependant lorsqu'un jeune est modérément déprimé, le contenu de ses conversations est souvent affecté. Il se concentre principalement sur des sujets déprimants et il parle de mort, de problèmes morbides et d'états de crise. Mais là encore, comme ce sont là les thèmes principaux des conversations des adultes et des programmes de télévision, la dépression juvénile va passer parfaitement inaperçue.

Si vous pouvez discerner un signe quelconque de dépression chez votre enfant, surveillez-le de près sans toutefois l'étouffer. Bien entendu, plus la dépression sera diagnostiquée rapidement, moins elle risquera de prendre des proportions dramatiques. Ne vous culpabilisez pas si vous n'avez pas pu mettre votre doigt sur la dépression de votre enfant car même une dépression grave peut passer inaperçue.

En effet, les jeunes cachent leurs sentiments lorsqu'ils sont avec les autres pour ne laisser tomber leur masque que lorsqu'ils sont sûrs de ne pas être vus. C'est là un indice important. Si vous pensez que votre enfant peut être en dépression, essayez de l'observer quand il est seul et qu'il croit que personne ne le regarde. Vous verrez alors probablement l'intensité de sa souffrance sur son visage, dans son regard sans vie et son expression de chose blessée. Ce n'est pas le meilleur moyen d'identifier une dépression, mais c'est au moins un début qui vous permettra de tendre la main à votre chéri.

Je veux encore le répéter: Vous devez bien assimiler quels sont *tous* les symptômes de la dépression car un ou deux symptômes isolés ou occasionnels ne sont pas le signe d'une véritable dépression. La dépression est un processus biochimique et neurohormonal qui s'installe lentement sur une période de quelques semaines ou de quelques mois. Un jeune profondément déprimé peut par moments, étaler les symptômes classiques de la dépression adulte qui sont un manque d'énergie, du désespoir, de l'abattement, de l'anxiété. Il peut aussi faire de l'insomnie, souffrir de désordres alimentaires (anorexie, boulimie), se sentir totalement à plat et avoir de la difficulté à retenir sa colère.

Guérir ou prévenir la dépression

La dépression est curable. Ne soyez donc pas trop anxieux au sujet de la dépression de votre enfant. En la détectant rapidement, vous pourrez arrêter ce processus insidieux.

Pour prévenir la dépression chez votre enfant, il est indispensable, il est crucial, tout d'abord et avant tout, de lui manifester que vous l'aimez et que son bien-être vous tient à cœur. À cette fin, vous devez passer suffisamment de temps avec lui pour que les barrières psychologiques qu'il a érigées, tombent et qu'il soit en mesure de communiquer ouvertement avec vous. C'est alors qu'il comprendra l'amour que vous lui manifesterez par des contacts visuels et physiques et de l'attention concentrée.

La dépression juvénile n'est pas une étape normale de la vie d'un adolescent et vous pouvez être sûr qu'il ne s'en sortira pas tout seul, ni spontanément. Cette paralysie morale et affective a tendance à s'aggraver tant qu'elle n'a pas été identifiée et traitée adéquatement. Avec de l'aide cependant, un jeune est très capable de surmonter sa dépression.

5

L'enfant «spécial» et les drogues

« La meilleure façon de décrire cela, c'est que c'était une terreur absolue. Je comptais les enfants et les paragraphes. Avec chacun qui lisait un paragraphe à haute voix, je pouvais savoir quand viendrait mon tour. Mon angoisse alors battait son plein car je savais qu'ils se moquaient toujours de moi quand je lisais. Un jour, j'étais en 4ᵉ année, j'ai fait pipi dans ma culotte. »

Mary, 18 ans, alcoolique

Chaque enfant est unique mais nous employons le terme «enfant spécial» pour désigner cet enfant qui souffre de difficultés de l'apprentissage scolaire. Cela peut concerner votre enfant ou pas, mais il est quand même nécessaire que vous possédiez quelques notions de base au sujet de ces problèmes afin que vous compreniez quelles sont les relations qui existent entre ceux-ci et les drogues.

Débutons une fois de plus avec un questionnaire. Vous obtiendrez une réponse à ces questions au cours de la lecture de ce chapitre.

Vrai   Faux

————   ————   1. Chez la plupart des enfants, les difficultés de l'apprentissage scolaire se règlent avec le temps.

————   ————   2. Les enfants qui souffrent de difficultés de l'apprentissage scolaire sont en majorité des garçons.

————   ————   3. La plupart des gens qui ont des difficultés de l'apprentissage scolaire ont un quotient intellectuel légèrement inférieur à la moyenne.

————   ————   4. Un diagnostic précoce est excessivement important pour aider un enfant à faire face à ce problème.

————   ————   5. Il existe des indices spécifiques qui permettent d'identifier ce problème chez un enfant.

————   ————   6. L'hyperactivité est très fréquente chez les enfants qui souffrent de troubles de l'apprentissage.

————   ————   7. Les enfants hyperactifs se droguent pour amortir leur colère et leur frustration.

————   ————   8. Les enfants qui ont des difficultés de l'apprentissage scolaire ignorent totalement quel est leur véritable problème.

————   ————   9. La piètre estime de soi qui ravage la majorité des enfants qui souffrent de difficultés de l'apprentissage scolaire est la cause fondamentale de leur abus des drogues.

Avant d'aller plus loin, j'aimerais que vous découpiez dans un livre à colorier un labyrinthe. Placez-le à plat sur une table et tenez à angle droit un miroir derrière lui. Assis à la table, essayez, crayon en main, de trouver le chemin jusqu'à la sortie du labyrinthe mais en ne regardant que dans le miroir. Ne trichez pas. Regardez uniquement dans le miroir alors que vous essayez de guider votre crayon à travers le dédale de corridors.

Alors, qu'en pensez-vous? Comment vous en êtes-vous tiré? Ce fut une expérience plutôt frustrante, n'est-ce pas? Considérez la ligne que vous avez tracée et imaginez qu'un professeur est en train de vous dire: «C'est très bien» ou «Eh! bien, c'est beaucoup mieux qu'hier.» Vous êtes une personne intelligente. Vous savez très bien que vous n'avez pas fait du bon travail. Or si vous étiez affligé de difficultés de l'apprentissage scolaire, vous seriez intelligent et vous pourriez fort bien, en comparant votre travail avec celui des autres élèves, constater que vous n'avez pas réussi aussi bien qu'eux. Imaginez votre frustration, votre humiliation. Pourtant ce simple exercice ne vous fournit encore qu'une vague notion des frustrations et des humiliations quotidiennes dont souffre un enfant affligé de difficultés de l'apprentissage scolaire.

Les épreuves d'un tel handicap

Des études publiées dans le milieu éducatif nous renseignent sur le fait que 5 à 15 p. 100 des enfants d'âge scolaire, dans notre pays*, souffrent de difficultés de l'apprentissage[1]. Par contre, dans notre clinique, 25 à 60 p. 100 des enfants qui viennent en consultation, ont des difficultés de l'apprentissage.

Le gouvernement fédéral américain a déclaré: «Les enfants qui souffrent de difficultés particulières de l'apprentissage scolaire souffrent d'un désordre d'un ou de plusieurs processus psychologiques impliqués dans la compréhension du langage parlé ou écrit. On observe ainsi des désordres au niveau de l'écoute, de la pensée, du langage, de la lecture, de l'écriture, de l'orthographe ou du calcul[2].»

Malheureusement, l'enfant qui souffre de difficultés de l'apprentissage scolaire, va aussi exhiber des troubles émotifs et du comportement et trop souvent il sera étiquetté comme ayant «un problème caractériel obstiné

---

*   Les États-Unis.

quand, s'il le voulait, il pourrait fort bien étudier». Une telle réputation le condamne automatiquement à des échecs répétés et plus souvent que non, il va tout simplement abandonner le milieu scolaire. Or aujourd'hui les autorités en matière d'éducation s'accordent pour déclarer que ces enfants sont en général des enfants brillants qui, si on pouvait diagnostiquer aussi tôt que possible leur problème, pourraient avec de l'aide spécialisée, terminer leurs études avec succès.

Plusieurs études[3] ont été menées au sujet des enfants qui souffrent de difficultés de l'apprentissage scolaire, et j'en ai retenu une en particulier qui établissait une corrélation entre les enfants ainsi affligés et les délinquants juvéniles. Cette étude s'était déroulée dans trois grandes métropoles américaines et elle s'était penchée sur mille délinquants juvéniles et mille enfants sans casier judiciaire: 32 p. 100 des garçons délinquants souffraient de difficultés de l'apprentissage scolaire[4].

Ces études nous démontrent aussi que ces enfants souffrent d'une très piètre estime de soi. Les mauvais traitements psychologiques dont ils souffrent laissent dans leur esprit des traces indélébiles. De plus, leur souffrance ne se cantonne pas à eux seuls, car des statistiques nous révèlent que les parents d'un enfant affligé de difficultés de l'apprentissage scolaire, connaissent un taux élevé de divorces[5].

Il faut le comprendre et regarder la réalité en face: les difficultés de l'apprentissage scolaire conduisent presque obligatoirement à la dépression, à la colère, à l'anxiété, à un comportement passif-agressif et à un manque d'estime de soi. Elles conduisent donc également directement à l'usage des drogues et l'on sait que parmi ces enfants, il y a énormément de drogués. Imaginez seulement la frustration et la colère que ces enfants peuvent ressentir tout au long de leur scolarité...

Johnny Alton — vous rappelez-vous de lui? — souffre de dyslexie, une trouble de l'apprentissage scolaire qui l'empêche de comprendre le langage écrit. Pour lui, les lettres dansent, se présentent à l'envers et parfois il ne les voit même pas. Il a aussi de la difficulté à écrire et à orthographier. Il est très regrettable que ce diagnostic de dyslexie n'ait été posé qu'après que Johnny soit devenu un adolescent frustré, en colère et déjà drogué.

Je n'oublierai jamais le jour où j'ai reçu les résultats des divers tests que j'avais fait passer à Johnny et que j'ai pu lui annoncer pourquoi il avait tant de problèmes pour lire et pour écrire.

«Johnny, lui dis-je, voilà, j'ai tous les résultats de tes tests et je suis en mesure de te donner quelques réponses à tes questions. En faisant le relevé des notes de tes bulletins, j'ai remarqué que tu as commencé à avoir beaucoup de difficulté à partir de ta 3e année.

— C'est exact, me répondit Johnny. Je n'arrivais pas à suivre mes maîtres. La plupart du temps, je ne savais même pas de quoi ils parlaient, alors je restais assis à mon pupitre et je regardais par la fenêtre; mais ça, ça m'attirait des ennuis. En réalité, depuis que je vais à l'école, je n'ai pas cessé d'avoir des problèmes. Je dois être un véritable idiot.

— Non, Johnny, tu n'es pas stupide. Tu souffres d'une difficulté à lire qu'on appelle dyslexie. Et si tu as tant de misère, ce n'est pas de ta faute. Tu as dû naître ainsi. Mais tu sais bien écouter et je t'assure, tu n'es pas bête.»

Johnny eut l'air soulagé.

«Vous voulez dire qu'il y a quelque chose en moi qui ne va pas et que c'est cela qui m'empêche de lire correctement? Vous voulez dire que je suis une personne normale? Bon, je souffre de cette histoire de dyslexie, mais à part ça je suis normal?

— Oui, Johnny. Nous allons nous mettre en communication avec ton école et essayer d'obtenir de l'aide spécialisée afin qu'apprendre devienne pour toi aussi intéressant que ça l'est pour tes copains.

— Oh! Dr Campbell, je ne sais pas si l'école pourra jamais être agréable pour moi, mais ça pourrait être différent maintenant.»

Johnny redevint sérieux.

«Mais, Dr Campbell, ce n'est pas normal. Quelqu'un de mon âge devrait pouvoir savoir lire. Qu'est-ce que les gens vont dire? Y a-t-il d'autres personnes qui souffrent de la même chose? Est-ce curable? Vous savez, j'ai toujours essayé de cacher que je ne savais pas lire parce que j'en ai honte. Est-ce que maintenant tout le monde va le savoir?»

Johnny a devant lui de grandes batailles à livrer mais au moins on sait quel est son problème. C'est déjà un bon point de départ. Évidemment diagnostiquer un mal, ce n'est pas le guérir. Johnny va certainement passer par une période d'amertume et de rancune parce qu'il ne sait pas lire, mais nous allons l'encourager à regarder son problème en face. Ces sentiments sont tout à fait normaux. Par contre avec des séances de conseils judicieux, il sera capable de laisser le passé derrière lui et il trouvera le courage de terminer ses études.

Les troubles de la perception

Une difficulté de l'apprentissage scolaire est aussi un trouble de la perception. Personne n'a une perception parfaite. Tout le monde perçoit les choses plus ou moins différemment et c'est souvent une question de degré. Le degré du problème de lecture de Johnny est grave, mais cet enfant n'est pas arriéré. C'est un jeune homme intelligent, tout à fait capable d'obtenir une bonne éducation. Son quotient intellectuel est normal.

Lorsque nous entendons dire que quelqu'un a un problème de lecture, nous pensons automatiquement au langage écrit. Nous ne nous arrêtons pas à penser que pour cet individu lire les chiffres et les expressions faciales constitue également un problème. Les contacts sociaux peuvent être extrêmement pénibles pour une personne qui souffre de troubles de la perception ou de difficultés de l'apprentissage scolaire.

Un de mes patients, un adolescent d'environ 15 ans qui souffre de difficultés de l'apprentissage scolaire, m'a expliqué cela ainsi: «Je devais passer tant de temps à étudier que j'avais très peu de temps pour m'amuser.

Mais cela ne me dérangeait pas car chaque fois que j'étais dans une foule, c'était pénible. Je n'arrêtais pas de penser que les gens étaient enragés contre moi, quand ils devaient tout simplement être fatigués ou bouleversés au sujet d'une chose qui n'avait aucun rapport avec moi.»

Ces enfants ont beaucoup de difficulté à se faire des amis. Ils voient tous leurs copains bavarder et rire ensemble, mais ils n'arrivent pas à s'intégrer à leur groupe. Les enfants qui ont des troubles de la perception ont l'impression que tout le monde excepté eux, sait exactement quoi dire et quoi faire en tout temps. Assez rapidement, ils se considèrent comme d'affreux bons à rien et cessent d'essayer.

Dernièrement, j'ai parlé avec une jeune fille qui venait de faire toutes ses études secondaires sans un diagnostic adéquat de ses difficultés de l'apprentissage scolaire.

«L'école primaire fut horrible, me confia-t-elle. Je disais toujours ce qu'il ne fallait pas dire au mauvais moment et je n'arrêtais pas de trébucher sur tout. Tout le monde se moquait de moi et m'appelait empotée. Mes professeurs disaient à mes camarades de ne pas s'inquiéter pour moi car j'étais une fille, que ce n'était pas important que je sois trop éduquée et que de toute façon, je me marierai. Finalement on m'a placée dans une classe spécialisée qui était en fait une classe pour arriérés mentaux. Maintenant tout le monde m'appelait «l'arriérée». Je suis sortie de cette misère avec une piètre estime de soi. Par contre, maintenant que je sais quel est mon véritable problème, je pense que je vais m'en tirer. Je suis en train d'étudier pour devenir conseillère et je crois que je saurai très bien aider les personnes affligées de difficultés de l'apprentissage scolaire.»

La souffrance ressentie par tous ces merveilleux enfants est un facteur important qui les conduit vers les drogues. Oui, les drogues bloquent la douleur, la piètre estime de soi, la dépression et la colère causées par des années de frustration et d'humiliation.

Le problème de l'hyperactivité

Les enfants qui ont des difficultés de l'apprentissage scolaire ont presque toujours aussi, en plus, un autre problème: l'hyperactivité. Certaines autorités pensent que ces problèmes sont présents à la naissance, alors que d'autres croient qu'ils sont causés à la naissance, par un traumatisme lors de l'accouchement.

Quel monde que le monde de ces enfants! Non seulement ils ont de la difficulté à percevoir les choses correctement mais en plus, ils sont aussi hyperactifs. On entend par là qu'ils ont une très courte durée de l'attention et ils n'arrivent pas à concentrer leurs idées sur quoi que ce soit suffisamment longtemps pour pouvoir absorber et apprendre la moindre chose. Ils sautent donc d'une chose à l'autre constamment et à une rapidité vertigineuse.

Je me rappelle l'histoire de Rick, un enfant hyperactif qui jouait à un jeu avec son ami. Sa mère m'a raconté: «Dr Campbell, c'était la première fois que Rick était sur le point de gagner et j'ai tout de suite compris que son excitation allait causer sa perte. Il est conscient de son problème et il a mis au point des moyens pour le contrecarrer. Ce jour-là, il m'a appelé avec insistance me disant qu'il fallait que je le tienne pour qu'il ne se lève pas de sa chaise avant d'avoir gagné. Je suis venue. J'ai placé mes mains sur ses épaules et je lui ai murmuré qu'il pouvait réussir. Et Rick a gagné!»

Les enfants hyperactifs ont énormément de problèmes à l'école. Leur esprit ne cesse de sauter d'une idée à une autre. Leur capacité de penser rationnellement, logiquement et dans un ordre séquentiel est minime. Les amener à se conduire correctement exige un travail herculéen. Ils passent avec une rapidité extrême d'un objet à l'autre, d'une activité à l'autre et cela même quand quelque chose les intéresse vraiment.

Naturellement, ces enfants nuisent énormément au bon ordre dans une salle de classe. Ils n'arrivent pas à rester assis. Ils n'arrêtent pas de parler. Ils ne cessent d'embêter tous leurs camarades. Ils sont donc bien vite étiquetés et considérés comme la peste ou le clown de la classe.

Tout ce climat d'agitation, de menaces et de désespoir qui entoure leur personne amène ces enfants, si on ne s'en occupe pas avant, à accumuler pour l'adolescence une bonne dose de colère et de confusion qui les entraînera, c'est sûr, vers l'usage des drogues.

Revenons à Johnny Alton. Son problème n'a été diagnostiqué que lorsqu'il est venu à notre clinique. Jusque là, il s'était cru bête. Il avait une très mauvaise estime de soi et maintenant il se sentait vraiment déprimé. C'est ici un résumé de la vie de ces pauvres enfants: Ils prennent pour acquis qu'ils sont sans intelligence et ils laissent tout tomber. Ils n'essaient même plus de comprendre ou de réussir. Ils ne se sentent pas aimés et pire, ils ne se sentent pas dignes d'être aimés. Évidemment, bien souvent, c'est parce qu'ils ne peuvent pas se concentrer suffisamment longtemps sur les sentiments des autres à leur égard, pour voir leur affection. Ainsi, ils ont rarement des amitiés profondes.

Au moment de l'adolescence, ils ont accumulé tellement de colère que la dépression les assaille et devient chez eux, un problème majeur. Ils ont maintenant deux sources de dépression: A) ils ne se sentent pas dignes d'être aimés et B) ils sont en colère parce qu'ils ne sont pas aimés. Cette double dose de dépression est une raison parfaite pour se tourner vers les drogues. Ces enfants sont mal dans leur peau et ils savent par expérience que la drogue donne une euphorie.

À l'école

Je vais maintenant vous brosser le tableau des années scolaires d'un enfant qui a des difficultés de l'apprentissage, de l'école primaire jusqu'au secondaire ou jusqu'à ce qu'il devienne un dropé.

Dès le début, aller à l'école signifie vivre une mauvaise expérience après l'autre. Les choses deviennent pénibles vers la fin de la première ou de la deuxième année, et vers le milieu de la troisième année ou au début de la quatrième, alors que la plupart des professeurs — souvent sans le réaliser le moins du monde

— passent d'un enseignement concret à un enseignement abstrait, les choses deviennent impossibles. Ces enfants n'ont pas la maturité pour penser abstraitement. Au cours des premières années, ils peuvent apprendre beaucoup de choses par cœur, mais lorsqu'il faut qu'ils se mettent à raisonner, ils ne comprennent plus rien et ils décrochent. La plupart des enfants enregistrent ce changement frustrant mais ils n'en comprennent pas la cause.

Johnny Alton, par exemple, m'a bien dit qu'il avait beaucoup aimé aller à l'école au tout début, mais alors qu'il passait en troisième puis en quatrième année, tout se mit à aller de mal en pis. Il ne cessait de s'efforcer de bien faire mais sans aucun succès. Il se rappelle encore très nettement et avec angoisse, ses efforts désespérés pour essayer de mémoriser tout ce que son professeur disait afin d'avoir l'air de savoir lire et de comprendre ce qui se passait autour de lui. Finalement, il fut obligé de s'avouer vaincu et pour cacher sa misère, il est devenu le clown de sa classe. Il a continué à surnager péniblement de cette manière jusqu'au début de son cours secondaire, mais déjà les drogues étaient bien installées dans sa vie. Elles procuraient un soulagement à sa souffrance.

La plupart des enfants comme Johnny Alton font généralement un dernier effort héroïque pour réussir à l'école aux environs de la 4e année. Ils font un sacrifice total de toutes leurs activités pour concentrer toute leur énergie sur leurs devoirs et leçons car ils veulent apprendre et réussir. Cela leur donne un certain avantage, mais bientôt ils sont submergés par leur incapacité à tenir le coup et ils s'effondrent. Ils sont en proie à la dépression et ils se mettent à avoir des tics. Les tics sont des mouvements convulsifs, des gestes brefs automatiques, répétés involontairement et sans raison. Ces enfants se mettent à cligner fortement des yeux, à secouer la tête, à faire des grimaces.

Certains enfants arrivent très bien à déguiser leurs tics. Un exemple classique d'un tic chez un garçon sont les à-coups, les mouvements saccadés de sa tête. (Les garçons sont plus fréquemment et plus fortement affligés de difficultés de l'apprentissage scolaire que les filles.) C'est ainsi que ces garçons font pousser volontairement leurs cheveux et tiennent à avoir une longue frange qui leur tombe sur les yeux, car lorsqu'ils ont une saccade de la tête, ils donnent l'impression de chasser leurs cheveux de devant leurs yeux.

Il est terrible de voir — si l'on regarde bien — combien d'enfants souffrent de tics dans une salle de classe normale. Les tics sont presque toujours causés par la pression ou la tension des études. Or si les enfants ont des tics, c'est parce que étudier est pour eux une véritable torture. Bien sûr, avoir des tics ne résoud aucun problème pour ces enfants: Les tics ne leur donnent en retour aucun bon sentiment. Au contraire, ils aggravent leur sentiment de ne pas être à la hauteur de la tâche et donc leur dépression.

Maintenant, c'est ici que les choses se compliquent parce que, comme je vous l'ai dit plus haut, la dépression chez les enfants est très difficile à cerner. De plus, un des signes de la dépression est une courte durée de l'attention, mais c'est aussi un signe d'hyperactivité et c'est ainsi que de nombreux professionnels ne s'arrêtent pas pour voir dans ce désordre, un indice de dépression chez l'enfant. Au contraire, ils y voient immédiatement un signe d'hyperactivité et ils prescrivent du Ritalin, un médicament qui agit sur le cerveau de l'enfant pour lui permettre une durée de l'attention normale.

Bien entendu, lorsqu'une courte durée de l'attention est la conséquence de la dépression, le Ritalin reste inefficace. Ce médicament ne peut pas guérir les problèmes émotifs d'un enfant en dépression. Pourtant, lorsque la durée de son attention ne s'améliore pas, la plupart des médecins parlent d'une hyperactivité rebelle et ils augmentent le dosage du Ritalin. Encore une fois, cela ne peut pas être efficace car le problème en question n'est pas l'hyperactivité mais la dépression. Bien des enfants voient malgré tout, leur dosage de médicament augmenter périodiquement et leur état s'aggraver.

Ces enfants ainsi maltraités tombent très jeunes dans la drogue. Ils sont frustrés du manque d'amélioration de leur état malgré un traitement médical intensif.

Ils sont frustrés car ils ne comprennent pas pourquoi ils sont comme ils sont, et lorsqu'ils découvrent que les drogues amortissent leur souffrance morale, ils s'y accrochent. Je me permets encore une fois d'insister sur la nécessité de prendre en considération la totalité de la personne lorsque l'on traite un drogué. Plus particulièrement, lorsqu'un enfant qui a des difficultés de l'apprentissage scolaire se met à se droguer, il faut comprendre qu'il y a derrière les drogues toute une batterie de problèmes qui sont la véritable cause de son usage des drogues.

Peu de gens réalisent que les difficultés de l'apprentissage scolaire et l'hyperactivité sont des problèmes physiques, aussi physiques qu'un bras cassé et qu'il faut s'en occuper. Personne ne devrait se pencher sur la dépendance de ces enfants sans avoir compris et traité toutes ses causes déterminantes. La drogue, pour ces enfants, n'est que la pointe de l'iceberg et guérir leur dépendance physique sera une perte totale de temps car, dès qu'ils en auront l'occasion, étant encore malades, ils retourneront à la drogue.

Johnny Alton m'a raconté que même s'il détestait l'école, ses devoirs lui permettaient au moins de passer du temps avec sa mère: «Elle s'asseyait pendant des heures près de moi, Dr Campbell, et elle essayait de me faire lire. J'avais la lecture en aversion et j'avais envie de tout envoyer promener mais je persévérais dans mes efforts car ma mère restait là, tout à côté de moi. Un jour, c'était en première année, il a fallu que j'apprenne un poème par cœur. Ma mère m'a aidé à en choisir un. Je pense qu'il lui plaisait particulièrement. Je me souviens encore de ce poème, de son titre et même de quelques vers. Vous allez rire et me croire fou, mais je n'ai jamais pu l'oublier complètement. Chaque fois que j'y pense, je nous vois tous les deux, maman et moi, assis à la table de la cuisine, et je pense aux efforts qu'elle a fait pour me l'apprendre.»

Je lui dis:

«Johnny, je ne pense pas que tu es fou. Au contraire, le fait que tu as appris et retenu ce poème tout au long de ces années jusqu'à ce jour, me prouve ce que je sais déjà, c'est que tu es un garçon intelligent.

— Ouais, pour sûr. Mais il faut que je vous dise qui est intelligent chez nous: C'est mon père. Lorsqu'il ne boit pas, il n'est pas si mal. Il connaît beaucoup de choses intéressantes. J'aimerais bien qu'il viennne vous voir pour vous parler. Ma mère ne cesse d'insister auprès de lui à ce sujet, mais il refuse constamment. Il ne veut pas, un point c'est tout.»

Je ne l'ai pas dit à Johnny, mais sa mère venait de m'annoncer qu'il y avait une chance que son père vienne pour une consultation, un de ces jours. Il était content des progrès de son fils. C'est possible qu'il vienne, mais, comme Johnny, je ne compte pas dessus. Pourtant, j'espère quand même, parce qu'il est crucial que la famille entière s'implique lorsque l'on traite la toxicomanie d'un de ses membres.

Identifier un enfant avec des difficultés de l'apprentissage scolaire

Vous devez vous tenir au courant des progrès que votre enfant fait à l'école, étudier son bulletin et ne pas passer par-dessus des mauvaises notes inhabituelles. Cela vous permettra de voir s'il a des problèmes particuliers. Mais ce n'est pas tout. Il y a d'autres indices que vous devez rechercher pour être bien sûr s'il doit ou non être testé en vue de déterminer s'il a des troubles de la perception. Je vous en prie, ne perdez pas de temps dans ce domaine. Plus votre enfant, si c'est le cas, aura un diagnostic approprié et plus vite il sera traité en vue de corriger son problème, moins il aura de misères et de souffrances au cours de sa scolarité.

Voici une série d'indices qui vous permettra de déterminer si votre enfant d'âge pré-scolaire a des troubles de la perception ou non:

- Aime-t-il le programme de télévision «Rue Sésame»? La plupart des enfants avec des troubles de la perception ne l'aiment pas.

- Aime-t-il écouter des disques? Certains de ces enfants n'aiment pas cette activité.

- Aime-t-il regarder des livres d'images? Certains de ces enfants n'aiment pas cela.
- Aime-t-il jouer avec des enfants de son âge? La plupart de ces enfants n'aiment pas cela.
- Votre enfant d'âge pré-scolaire donne-t-il l'impression de suivre un autre rythme? La plupart des enfants d'âge pré-scolaire affligés de troubles de la perception ont l'air de suivre un rythme différent de la majorité des autres enfants.

Je vous livre maintenant un relevé de phrases que les parents d'enfants affligés de troubles de la perception emploient couramment et régulièrement pour les décrire. Si vous retrouvez votre enfant dans plusieurs des déclarations suivantes, n'hésitez pas à le soumettre à des tests sérieux.

- Il se cogne dans les blocs de construction, bute sur le plancher, tombe de sa chaise, entre en collision avec ses copains et se projette de lui-même dans l'espace.

- Elle sait parler de la taille ornementale des arbres mais n'arrive pas à fermer sa fermeture-éclair ni à tracer un cercle. Elle déteste ranger ses jouets ou faire un puzzle.

- Il regarde tout mais semble ne rien voir. En fait, ses mains semblent mieux voir que ses yeux.

- Ses grands yeux me regardent et elle écoute, mais j'ai l'impression de ne pas la rejoindre.

- Il comprend tout ce que je lui dis mais il n'arrive pas à s'exprimer correctement, en tout cas il ne s'exprime pas comme ses frères et sœurs.

- Il réagit trop ou pas assez à tout. C'est comme si son thermostat interne était détraqué.

- Elle a neuf ans mais elle agit comme une enfant beaucoup plus jeune.

- Il a toujours l'air mal fichu, pourtant je l'habille avec beaucoup plus de chic que ses copains et je fais très attention à ce qu'il porte.

• Elle est tellement intelligente et pourtant la durée de son attention n'est pas plus longue que celle d'une mouche. Elle passe la journée à rire bêtement, à aller d'une chose à l'autre et parfois, à l'entendre, on croirait entendre un disque rayé.

• Il ne me permet jamais de le serrer dans mes bras. En vérité, il semble que n'importe quelle marque d'affection le met mal à l'aise.

Il n'est pas difficile après ces commentaires de comprendre quelles sont les frustrations que le parent et l'enfant subissent quotidiennement. Si vous avez pu reconnaître votre enfant dans une ou plusieurs de ces déclarations, il se pourrait que vous ayez un enfant qui souffre de difficultés de l'apprentissage scolaire. Cependant, il arrive parfois qu'un enfant souffrant de troubles de la perception, ne manifeste aucun de ces symptômes.

De l'aide

Si vous avez découvert que votre enfant souffre d'un problème de perception, ne désespérez pas. Plus un diagnotic sera posé tôt, plus il sera possible d'intervenir afin de lui rendre la vie aussi agréable que possible. Par le fait même, plus le dépistage sera retardé, plus il y aura de risque que votre enfant se tourne vers les drogues.

Avant de conclure ce chapitre, je veux vous communiquer une bonne nouvelle. Un de ces matins tôt, alors que je venais tout juste d'arriver à mon bureau, ma secrétaire m'a tendu un numéro de téléphone en me disant: «Cette personne est vraiment anxieuse de vous parler. Rien que ce matin, elle a déjà téléphoné cinq ou six fois. Elle n'a pas voulu me laisser son nom, juste son numéro de téléphone.»

Je ne reconnus pas le numéro mais j'appelai immédiatement:

«Dr Campbell à l'appareil, dis-je, vous avez appelé ce matin.

— Ouais, toubib, c'est le papa de Johnny Alton à l'appareil. Je pense que je devrais vous parler.»

Je fus très agréablement surpris que Mr Alton ait finalement décidé de me parler.

«Bien sûr, Mr Alton. Attendez un peu que je consulte mon agenda avec ma secrétaire.

— Euh! Je ne veux pas attendre. Plus ça se fera vite, mieux ça sera, avant que je change d'idée. Je vais rappeler dans quinze minutes, ça devrait vous donner suffisamment de temps pour trouver un moment pour moi. Je n'en ai pas parlé à Johnny ni à sa mère. Alors je compte sur vous pour que vous en fassiez autant. C'est pour cela que je vous ai téléphoné de mon travail.»

J'avais vraiment hâte de rencontrer le père de Johnny. Johnny avait fait quelques progrès et sa mère avait déjà suivi quelques séances destinées à lui donner de bons conseils. Je lui fixai un rendez-vous pour le jour même en fin d'après-midi.

Au rendez-vous, je trouvai un père très nerveux qui déambulait de long en large et qui fumait une cigarette après l'autre. Lorsque je rentrai dans mon bureau, je lui offris une chaise, mais il refusa de s'asseoir:

«Il vaut mieux que je parle debout, me dit-il. Vous voyez, toubib, j'ai commencé à fréquenter les réunions des Alcooliques Anonymes (A.A.), vous connaissez? Je n'ai encore rien dit à Johnny ni à sa mère, mais ça va venir.

Vous voyez, comme ma boisson ne m'empêche pas de travailler, je n'ai jamais considéré que c'était un problème. Oh! j'ai peut-être manqué une journée ou deux par-ci par-là, mais rien pour me faire perdre mon emploi. De toute façon, je suis ici pour Johnny. Quand sa mère est rentrée à la maison et qu'elle m'a dit qu'il faisait de la..., de la dyslexie ou je ne sais trop quoi, ça m'a foudroyé, car c'est probablement ce que j'ai aussi.

J'ai toujours pensé que j'étais un idiot. Ça n'a jamais été facile de trouver du travail parce que je ne sais ni lire ni écrire, mais je n'ai jamais laissé ma famille mourir de faim. De temps en temps, j'arrive à lire de petites choses, mais c'est dur. Je ne lis aucun livre ni le journal, mais vous pouvez être sûr que j'écoute tout très attentivement.

Toubib, je n'ai jamais fait cette confession à personne. Je me disais qu'on se moquerait de moi, qu'on me traiterait d'imbécile et de ça, je n'en ai pas besoin. J'ai quitté l'école à 16 ans parce que j'étais toujours dans le pétrin et j'avais de très mauvaises notes, comme Johnny. J'ai trouvé un emploi dans la construction et c'est ce que j'ai toujours fait depuis. Vous êtes la première personne à qui je dis cette chose. Je suppose que mes professeurs étaient au courant de mon problème ou peut-être pas. Ils devaient probablement penser que j'étais tout simplement de mauvaise volonté et stupide. De toute façon s'ils l'ont pensé, ce n'est pas de leur faute. Je leur ai causé assez de troubles pour justifier leur opinion. J'ai passé la majeure partie de mon temps à l'école, en punition ou dans le bureau du directeur.

Quand Johnny a commencé à avoir lui aussi tous ces problèmes à l'école et que vous avez découvert qu'il ne pouvait pas lire et que vous avez même dit qu'il n'était pas stupide ni méchant, qu'il avait tout simplement cette histoire de dyslexie, eh! bien je me suis mis à penser drôlement. Dites-moi, est-ce quelque chose qu'il a attrapé de moi?»

Je lui répondis:

«Plusieurs professionnels croient que la dyslexie est héréditaire. Nous ne savons pas tout encore au sujet de ces problèmes, mais nous savons une chose pour sûr, c'est que pour les gens qui en souffrent, la vie peut devenir drôlement difficile par moments.

— Par moments? m'interrompit Mr Alton. Vous voulez dire tout le temps. Il ne se passe pas un seul jour où je ne dois pas chercher un moyen de me tirer d'affaire parce que je ne sais pas lire. Par exemple, chaque fois que la mère de Johnny me demande de faire des achats à l'épicerie, c'est affreux ce que je dois faire pour me rappeler de tout. Il manque toujours quelque chose, alors je dis que j'ai oublié. Parfois, elle me donne une liste, mais ça, ça ne m'arrange guère. On se dispute toujours sur des bêtises comme faire quelques achats à l'épicerie.

Quand c'est mon patron qui me demande de faire des courses, alors là je deviens vraiment nerveux. D'habitude, je tends ma liste au vendeur et je lui dis que j'ai oublié mes lunettes dans le camion. Il rassemble alors les matériaux pour moi. Mais que c'est dur, toubib, que c'est dur..!

Vous comprenez que quand j'ai appris que Johnny avait le même problème, je me suis dit que je ne pouvais plus me taire. C'est un brave gars, vous savez, à sa manière. Il ne veut de mal à personne. Mais ce qu'il a eu des problèmes dernièrement... Je pense que je sais fort bien comment il se sent. Que voulez-vous, cette histoire ça vous ronge le meilleur de vous-même et ma façon à moi de m'en tirer, c'est de me soûler. Je suppose que sa façon à lui, c'est de se droguer. Le problème, c'est qu'avec les drogues, on reste accroché.

Je vais dire à Johnny et à sa mère que je suis venu ici et je vais leur dire aussi que je fréquente les Alcooliques Anonymes. Je ne sais pas ce qui va sortir de tout ça. Peut-être quelque chose de bon. Je suppose qu'il faut attendre pour voir. Je ne sais pas ce que la mère de Johnny va penser de tout ça quand je vais lui dire. Ils doivent venir vous voir tous les deux dans un jour ou deux. Peut-être que je viendrai avec eux. Je ne sais pas encore. Tout va trop vite en ce moment, mais je vais essayer, je vais essayer...»

Sur ces mots, le père de Johnny quitta mon bureau. J'espère qu'il va se décider non seulement à venir avec son fils et sa mère mais qu'il va aussi rechercher de l'aide professionnelle pour son alcoolisme tout en continuant à fréquenter les réunions des A.A.

Johnny m'a dit qu'il ne buvait pas d'alcool. C'est faux. Il buvait lui aussi car il avait pris cette habitude de son père. L'alcoolisme, les toxicomanies et même les difficultés de l'apprentissage scolaire peuvent être des histoires de famille. Ni Johnny ni son père ne peuvent surmonter leurs problèmes tout seuls. Toute la famille Alton doit travailler de concert car elle n'a pas seulement un problème de toxicomanie dans Johnny ou un problème d'alcoolisme dans Mr Alton, elle a véritablement *un problème de famille.*

Vous venez de plonger un peu dans le monde des difficultés de l'apprentissage scolaire. Il serait maintenant utile que vous retourniez au questionnaire au début de ce chapitre pour vérifier si vous avez à modifier certaines de vos réponses. Comme je l'ai dit au père de Johnny, il y a encore beaucoup de points d'interrogation au sujet de ce désordre, mais une chose est sûre, c'est que les individus ainsi affligés ne sont pas arriérés. Ils peuvent apprendre. Ils peuvent étudier bien qu'il faille qu'ils prennent des détours. Il faut leur enseigner les choses autrement. L'incapacité en soi de lire ou d'écrire n'est pas curable mais la personne qui en est affligée peut quand même apprendre et trouver des moyens de se tirer d'affaire.

Je le répète encore: Un diagnostic précoce est impératif. Servez-vous à cette fin des listes que je vous ai données pour déterminer si votre enfant a besoin de passer à ce sujet des tests ou non. Un diagnostic précoce permettra à un enfant d'apprendre très tôt à contourner son problème plutôt que de passer des années à se demander pourquoi il ne réussit pas à faire les choses comme tout le monde.

Les enfants affligés de troubles de la perception se rendent vite compte qu'ils ont un problème quelconque. Ils ne cessent de se comparer aux autres enfants. Bien sûr, lorsqu'ils se rendent compte qu'ils n'arrivent pas à satisfaire leurs professeurs, leurs parents et leurs amis, ils perdent l'estime de soi. Les drogues sont alors à la porte, prêtes à entrer en scène.

1. Lee Madeline, Parenting: Why Josh Isn't Dumb, *Ms Magazine*, p. 66, June 1987.
2. *Public Law*, 94-142.
3. ACLD, Association for Children with Learning Disabilities.
4. *Prevalence of Handicapped Juveniles in the Justice System: A Survey of the Literature*, p. 48.
5. *The Hidden Handicap*, ACLD Foundation, p. 5.

6

Les problèmes neurologiques et les drogues

«J'ai pris des drogues pour oublier mes problèmes et mes soucis. Il y a des jours où ça fait mal de vivre.»

Bill, 17 ans, drogué et alcoolique

Dans ce chapitre je veux vous parler de certains problèmes neurologiques qui entraînent l'usage des drogues. Ces problèmes sont très souvent négligés lorsque l'on se penche sur les causes des toxicomanies, et cela tout simplement parce que les drogues les camouflent. Évidemment, je ne pourrai pas traiter ici de ces problèmes en profondeur — cela exigerait un autre livre — mais je dois attirer votre attention sur le fait que nous avons là une cause importante de la dépendance chimique.

Un problème neurologique est un véritable dérèglement physique du cerveau et je désire vous entretenir de deux problèmes neurologiques en particulier qui entraînent de graves problèmes mentaux: la psychose maniaco-dépressive et le désordre du «miroir brisé». Avant d'entrer dans un exposé de ces troubles, prenez la peine d'étudier les déclarations ci-après. Ne vous inquiétez pas si certaines expressions vous paraissent obscures. Au cours de votre lecture, chaque terme deviendra clair.

- La psychose maniaco-dépressive est un trouble neurologique. Elle a un substrat (un fondement) organique.

- La psychose maniaco-dépressive n'est pas curable, mais elle peut être traitée et stabilisée.

- Le carbonate de lithium est un médicament efficace dans le traitement de la psychose maniaco-dépressive.

- Le désordre du «miroir brisé» ressemble à un problème neurologique et à un trouble de la personnalité.

- L'alcool et les drogues soulagent la souffrance que ressentent ceux qui sont affligés du désordre du «miroir brisé».

- Les gens affligés du désordre du «miroir brisé» ont un sentiment tellement intense de ne rien valoir qu'il leur est impossible de savoir qui ils sont. Ils ont de grandes difficultés à devenir de véritables individus.

On nous dit que 60 p. 100 des enfants d'aujourd'hui goûtent à la drogue par curiosité. Ils en font l'expérience pour voir ce que c'est. Par contre 40 p. 100 des enfants d'aujourd'hui ont poussé leur jeu trop loin et ils sont devenus dépendants[1]. Personnellement, je peux affirmer que 10 p. 100 de ces enfants drogués ont de graves problèmes mentaux et neurologiques et qu'ils sont en réalité en train de «s'auto-traiter». En d'autres termes, l'alcool et les drogues sont pour eux des médicaments qu'ils emploient juste pour pouvoir vivre leur journée. Demander à ces enfants de tout simplement dire non à la drogue est une impossibilité. Sans leurs drogues, ils n'arrivent pas à fonctionner normalement et leurs pensées s'embrouillent complètement. Certains peuvent même devenir psychotiques. Malheureusement parce qu'ils se droguent, leur problème est dissimulé et vous pouvez, sans difficulté, comprendre l'atroce dilemme que vivent ces enfants.

En général, les problèmes mentaux et neurologiques peuvent être traités avec un médicament approprié une fois qu'un diagnostic correct a été posé.

Ces enfants sont les enfants qui souffrent le plus lorsque l'on emploie envers eux une approche basée sur un diagnostic qui ne cherche pas à remonter à la cause première du problème. Par exemple, un de ces enfants peut être un agitateur à l'école et être aussi attrapé en train de prendre de la drogue. On l'envoie alors chez un psychologue qui lui parle de son mauvais caractère et l'encourage à cesser de prendre de la drogue. Il peut aussi être envoyé dans une maison de cure ou suivre un programme de consultation externe. Ni l'une ni l'autre ne poseront de diagnostic précis et la maladie sous-jacente à l'usage des drogues continuera à passer inaperçue. Dans une telle situation qui se répète, hélas, à l'infini, l'adolescent reçoit beaucoup de conseils pour qu'il cesse de se droguer, mais le problème fondamental qui est son désordre neurologique ou mental, n'est pas traité.

Vous pouvez être sûr que cet enfant, dès qu'il se retrouvera dans la rue, retournera aux drogues. Il ne peut pas vivre sans elles. C'est son désordre neurologique ou mental qui l'entraîne à l'usage des drogues et ce n'est que dans la mesure où il subira un examen de santé complet que la véritable raison de sa dépendance pourra être découverte. Il pourra alors, et seulement alors, recevoir un traitement efficace.

La psychose maniaco-dépressive

Penchons-nous maintenant sur les deux problèmes mentaux graves que je vous ai mentionnés plus haut. Ces désordres peuvent tous les deux déboucher sur la toxicomanie.

La première maladie, aussi appelée psychose bi-polaire, est dévastatrice si elle n'est pas correctement diagnostiquée et si elle reste sans traitement.

Cette psychose entraîne des fluctuations extrêmes de l'humeur qui vont de l'excitation la plus grande à la dépression la plus profonde. Ces cycles d'excitation et de dépression ne sont pas nécessairement reliés à des activités ou à des situations extérieures particulièrement excitantes ou déprimantes. Les enfants qui souffrent de cette psychose sont des enfants qui vont fréquemment démontrer leur manque de bon jugement en poussant leurs plaisanteries trop loin, en détruisant des objets et en devenant argumentateur à outrance lorsqu'ils se trouvent dans la phase maniaque. Ils peuvent parler avec un débit rapide, exprimer des idées de grandeur irréelles et sauter rapidement d'un sujet à un autre. Leurs amis se mettent à les éviter car ils les trouvent rasoirs.

Au cours de la phase dépressive, l'enfant affecté de psychose maniaco-dépressive, va se mettre tout d'abord à dormir plus longtemps que d'habitude et à se sentir très léthargique. Par contre, alors que sa dépression s'installe, il se met à nouveau à être agité et devient insomniaque. Il se replie sur lui-même, coupe toute communication avec l'extérieur et devient excessivement irritable. Certains malades cherchent alors à se suicider car ils ont peur de sombrer à nouveau dans la profondeur de leur dépression.

Amy, une de nos patientes, souffre de psychose maniaco-dépressive. Ses toxicomanies (alcool, drogues) l'avaient aidée à maintenir une certaine stabilité émotionnelle mais lorsqu'un mauvais diagnostic l'a forcée à cesser tout usage d'alcool et de drogues, elle est tombée dans une dépression indescriptible. Bien sûr, je ne cite pas ce cas pour vous suggérer de donner des drogues illicites aux enfants. Je veux tout simplement vous faire comprendre l'importance d'obtenir un diagnostic sérieux, diagnostic qui seul permettra à l'enfant d'obtenir un traitement efficace et si nécessaire, une médication utile.

Lors de sa première visite à mon bureau, Amy a tout simplement laissé tomber sa tête. Ses longs cheveux bruns ont caché son visage et elle a fixé le plancher.

«Y a-t-il quelque chose dont tu voudrais parler Amy, lui demandai-je?

— Non. Tout ce que je veux, c'est sortir d'ici.

— Les choses ne vont pas très bien pour toi à la maison, repris-je en revenant à la charge. Voudrais-tu me dire quelque chose à ce sujet?

— Je crois que ma mère et moi, nous nous détestons. On ne s'entend absolument pas, me dit-elle.

— Pourquoi, à ton avis, vous ne vous entendez pas?

— J'en ai assez qu'elle me dise constamment quoi faire. Je n'ai pas toujours envie de faire ce qu'elle me demande et lorsqu'elle veut quelque chose, elle exige que je le fasse à l'instant même. Je ne peux jamais lui dire: «Un moment, s'il te plaît» ou «Laisse-moi d'abord finir ce travail». Si je le fais, elle commence à rouspéter.

— C'est pour ça que tu as voulu te suicider? Tout ce que tu voulais, c'était ne plus voir ta mère?»

Peu à peu, à force de la presser de questions, Amy m'a raconté son histoire.

«Non, Dr Campbell. Voyez-vous, ma mère et moi, nous nous étions violemment disputées. Et tout le reste dans ma vie était affreux. Je me sentais constamment déprimée. Je ne m'entendais pas avec mes amies. Plus rien ne comptait pour moi. La nuit où j'ai pris toutes ces pilules, je suis allée dans la salle de bain car je savais que ma mère y était et j'ai jeté mes bouteilles vides dans l'évier. Je voulais lui faire du mal et je voulais qu'elle ait aussi mal que moi. Je voulais mourir.

On dirait que depuis que je suis entrée au collège, il n'y a plus rien qui a bien marché dans ma vie. Ma mère et moi, on se dispute sans cesse et j'ai ces affreux sentiments qui me donnent l'impression d'être dans la boue jusqu'au cou. De toute façon un jour à l'école, un copain m'a offert de la marijuana. Je l'ai essayée. Tout d'abord, il n'y avait rien de spécial là pour moi, puis je me suis mise à aimer ça. Je me sentais bien quand j'en prenais.

À partir de ce moment-là, j'ai fait d'autres choses... Puis mon père et ma mère m'ont coincée et ils m'ont amenée chez un conseiller. On a tous parlé ensemble pendant quelques minutes puis il a décidé que maman et moi nous devions mieux communiquer ensemble et il nous a promis que tout irait bien à la maison.

On a donc essayé pour un temps. Mais j'ai recommencé à fumer des joints. Je ne voyais pas en quoi ça pouvait être mauvais. De toute façon, je communiquais avec ma mère et elle était convaincue que j'étais en parfaite forme.

Mais un jour, cet horrible sentiment de détresse intérieure m'a repris et ce que je prenais à l'époque ne me faisait plus de bien... Alors j'ai forcé la dose. C'est à ce moment que maman et papa ont découvert que je me droguais à nouveau et que je buvais de l'alcool. Alors ils m'ont emmenée en 4e vitesse dans un hôpital psychiatrique mais je ne suis pas restée longtemps là. Ils m'ont dit la même chose qu'avant: Il fallait que maman et moi, nous communiquions et que nous apprenions à nous supporter l'une l'autre. On a essayé de nouveau et voilà comment ça marche d'une psychanalyse à une autre. En tout cas une chose est sûre, c'est que maintenant on communique, mais je ne peux toujours pas la supporter et je pense qu'elle non plus ne me supporte pas. L'autre jour, elle m'a dit qu'il faudrait que je prenne mes responsabilités face à mon problème ou que je fiche le camp.

Je n'avais aucun endroit où aller. J'ai commencé à me sentir si mal dans ma peau que je me suis dit que je serais mieux morte. Le soir où j'ai essayé de me suicider, je suis entrée dans la salle de séjour et j'ai vu mon père et ma mère rire, parler et s'amuser devant la télé et, je ne sais trop pourquoi, c'en fut trop. Je me suis sentie furieuse de les voir heureux alors que je me sentais tellement hideuse. Je pense que je suis sortie de mes gonds. Je ne sais pas, mais à ce moment précis j'ai décidé que je ne voulais plus vivre et j'ai pris ce que j'ai trouvé.

Depuis que j'ai fait ça, je ne me sens plus tellement fière de moi. En réalité, je me sens comme une parfaite imbécile. Pensez-vous que je suis folle, Dr Campbell?»

Je rassurai Amy et lui dis qu'elle n'était pas folle. Je lui affirmai qu'après des examens sérieux, on possèderait quelques réponses à son problème.

Notre évaluation de son cas, nous a aidé à déterminer qu'entre autres choses, Amy souffre de psychose maniaco-dépressive. Une conversation prolongée avec ses parents nous a permis de découvrir qu'elle a deux tantes paternelles qui présentent elles aussi des symptômes de psychose maniaco-dépressive. Certaines recherches nous permettent de croire que ce désordre peut aussi être héréditaire. Il a donc une base organique, c'est-à-dire qu'il peut être la conséquence d'un trouble neurologique ou d'une lésion cérébrale. De toute façon, ce problème est traitable. Le cas d'Amy va exiger du temps parce que sa maladie a été ignorée si longtemps et que beaucoup de domaines dans sa vie en ont été affectés.

Sa famille cependant participe de tout son cœur au traitement et cela est très positif. Je crois donc qu'avec beaucoup de travail et de patience nous allons pouvoir la remettre sur pied et lui permettre de vivre sans avoir recours aux drogues illicites et à l'alcool.

L'histoire de Larry

Vous vous rappelez de Larry Schmidt? C'est le gars du début qui travaillait dans une boulangerie pour pouvoir s'acheter de la meilleure drogue. Larry souffre lui aussi de psychose maniaco-dépressive, mais même si son problème a été diagnostiqué par nous plus précocement que celui d'Amy, il va avoir des difficultés à s'en remettre car ses parents ne sont pas sérieux avec son traitement. Ils n'arrivent pas à accepter que leur fils a une maladie qui exige pour son traitement, en partie, la prise régulière d'un médicament.

J'ai fait hospitaliser Larry car lui aussi a essayé de se suicider. Il continue à être suicidaire et il a besoin d'être sous surveillance médicale. C'est un garçon en colère. Sa route vers la guérison ne sera pas facile, principalement parce qu'il refuse de s'abandonner et que ses parents ne s'intéressent pas plus qu'il le faut à son traitement. Entre parenthèses, je dois dire que je déteste admettre des adolescents à l'hôpital et j'essaie autant que possible d'éviter une telle démarche. Cependant lorsque le patient est extrêmement dangereux pour lui-même, l'hospitalisation est inévitable. Larry va pouvoir sortir bientôt. C'est une tragique erreur que de faire rentrer à l'hôpital un enfant puis de l'y garder trop longtemps.

Larry ne savait pas qu'il était malade. «Je ne savais pas que tout le monde ne se sentait pas comme moi, me dit-il un jour. Mais dis donc, quand j'ai commencé à toucher aux drogues, j'ai bien vite vu que je pouvais me sentir drôlement mieux. Et je vous garantis que je ne vais pas faire de promesses à qui que ce soit pour quand je serai sorti d'ici.»

Les adolescents comme Amy et Larry font de l'automédication. Ils se droguent parce qu'ils ont besoin de ces stupéfiants juste pour vivre leur journée. Avec ces enfants un faux diagnostic et un mauvais traitement n'ont pour résultat que de les ramener à la drogue. Ils sont tellement embrouillés dans leur tête et tellement en colère que la seule façon pour eux de vivre une existence sans trop de douleur, est de s'anesthésier avec des drogues. Il y a des milliers d'enfants comme Amy et Larry. Ils ne peuvent pas dire tout simplement non aux drogues. Pour eux, c'est presque une impossibilité physique. Ils ont besoin tout d'abord d'un diagnostic exact et d'un traitement approprié qui va soulager leur douleur.

Le père et la mère de Larry sont venus me voir afin de discuter de sa maladie. Mr Schmidt m'a dit:

«Je ne comprends pas cette histoire maniaco-dépressive dont vous parlez. Pour ce qui me concerne, je suis sûr que Larry n'est qu'un garçon gâté-pourri, grand parleur-petit faiseur. Sa mère ne cesse de tout faire pour lui et elle le chouchoute à mort. Vous savez, si ce n'était de moi, il ne serait jamais aller travailler. C'est moi qui ai insisté pour qu'il se trouve le travail qu'il a présentement. Mais peut-être que cela m'est retombé sur le nez, n'est-ce pas? Je veux dire que j'aurais dû lui retirer son argent de poche. Comme ça il n'aurait pas eu d'argent pour acheter ses drogues et on ne serait pas assis ici en ce moment.

— Vous ne devriez pas vous en vouloir pour cela,

lui répondis-je. Voyez-vous la maladie de Larry est pour lui tellement pénible à supporter que parfois les drogues sont sa seule porte de sortie. D'une façon ou d'une autre, il aurait trouvé le moyen de s'en procurer.

— Dr Campbell, je serais vraiment heureux si vous cessiez de me parler de Larry comme d'un malade. J'ai toujours eu l'habitude de lui flanquer quelques bonnes claques dans le dos et cela le remettait d'aplomb... et nous voilà maintenant assis dans ce bureau en train de raconter que Larry est malade. Vraiment, je n'arrive pas à avaler ça.

— Chéri, l'interrompit Mme Schmidt, tu as dit que tu essayerais de faire ce que le Dr Campbell conseillerait. Nous venons presque de perdre Larry parce que rien d'autre n'a marché. Essayons au moins ça, en dernier recours.

— Je ne ferai aucune promesse, déclara Mr Schmidt en se levant, mais je vais persévérer un temps. Dites-moi, Dr Campbell, quand est-ce que mon fils va sortir de l'hôpital? Je ne suis pas fait en or et mon assurance ne va pas me couvrir pour ce genre de maladie-là.

— Mr Schmidt, lui répondis-je, plus vous et votre épouse participerez de bon cœur au traitement de Larry, plus il guérira vite. Je sais que ce qui vous tient le plus à cœur en ce moment, c'est sa guérison. Je comprends que vous vous souciiez du coût de ce traitement, c'est pourquoi nous allons faire de notre mieux pour qu'il guérisse vite.»

Le miroir brisé

Les enfants qui sont au stade du «miroir brisé» ont un comportement caractérisé par une mauvaise adaptation comme un individu qui souffre de troubles de la personnalité, mais ils ont aussi de la difficulté à penser clairement, logiquement et rationnellement. Ils ont donc des symptômes mentaux. On n'arrive pas à poser à leur égard un diagnostic clair ni dans un sens ni dans l'autre.

Les enfants qui sont au stade du «miroir brisé» ont une extrêmement piètre estime de soi et ils n'ont qu'une très vague notion de l'identité du moi. Ils ont un sens très faible des valeurs dû au fait qu'ils n'arrivent pas à penser clairement. Comme leur identité personnelle est tellement floue, ils doivent s'attacher à quelqu'un pour se sentir comme un individu à part entière. Ils sont souvent en train d'imiter constamment les autres dans le but d'établir leur identité. Ils deviennent également excessivement dépendants d'une personne quelconque à laquelle ils s'attachent démesurément. Ce trouble de la personnalité à la limite du pathologique est vraiment complexe mais nous commençons à le mieux connaître.

Il faut dire que l'incidence des enfants au stade du «miroir brisé» a énormément augmenté dans notre génération. Ce désordre est en général le résultat de très mauvaises méthodes d'éducation. Un enfant traumatisé restera presque toujours au stade du «miroir brisé». Par exemple, chaque fois que je vois un enfant qui a subi des abus sexuels, je vois un enfant au stade du «miroir brisé». Bien sûr, n'importe quelles sortes d'abus comme les hurlements, les insultes, les punitions excessives, peuvent traumatiser un enfant mais ce qui le marque le plus pour le détruire le plus, c'est le manque extrême de soins parentaux et l'inceste.

Il existe une sorte d'abus rarement considérée comme telle mais qui est malheureusement à notre époque, une cause courante de ce désordre de la personnalité: c'est l'absence d'une discipline ferme et conséquente au sein du foyer. On dit une fois oui, une fois non, et l'enfant ne sait jamais à quoi s'attendre. Tous ces enfants traumatisés d'une manière ou d'une autre sont des candidats de choix pour les toxicomanies. Lorsque j'ai commencé ma pratique de psychiatrie, il était rare de rencontrer un enfant au stade du «miroir brisé». Aujourd'hui, c'est probablement le problème le plus courant dans notre pratique.

Les drogues et l'enfant au stade du «miroir brisé»

Encore une fois, je dois le répéter, il est impératif d'examiner un enfant sous toutes ses coutures pour bien comprendre les raisons de sa toxicomanie. Il faut comprendre son état neurologique afin de lui prescrire les soins appropriés ou les thérapies adaptées à son cas. L'enfant qui a un désordre de la personnalité a besoin d'aide afin de bâtir une saine estime de soi et une bonne identité du moi, seules choses qui lui permettront de ne pas avoir besoin de recourir aux drogues et à l'alcool.

En réalité, un tel enfant peut subir des dommages si on lui retire brusquement ses drogues sans lui donner un traitement approprié. Si les troubles de la pensée sont chez lui suffisamment forts, il peut tomber dans une confusion totale. La moindre distraction peut l'amener à être illogique et irrationnel. L'enfant au stade du «miroir brisé» peut, dans les cas extrêmes, avoir des hallucinations comme une personne schizophrénique.

Le stress affecte terriblement ces enfants et ils ne le supportent pas le moindrement. Il les amène à avoir une conduite imprévisible et comme le stress est un phénomène de vie constant, leur conduite n'est jamais stable. Quand une personne normale subit un stress cela ne l'empêche pas de continuer à savoir où elle se trouve ni ce qu'elle est en train de faire. Il n'en est pas ainsi avec ces enfants. Plus une situation est stressante ou tendue, plus leurs pensées s'embrouillent. Il arrive qu'ils aient l'air d'agir normalement, puis tout d'un coup, ils sont totalement irrationnels. Leur comportement n'est jamais le même et vous pouvez imaginer combien il peut être pénible d'avoir un esprit qui est constamment en train de penser différemment.

Ces enfants fonctionnent en général assez bien dans une salle de classe quand il y règne de l'ordre et de la discipline. Par contre, dès qu'ils arrivent dans la cour de récréation ils peuvent devenir complètent embrouillés dans leur tête et se mettre à se comporter d'une manière inconvenante et même bizarre. Ainsi un enfant affligé de ce trouble de la personnalité peut très bien se mettre à frapper un autre enfant sur la tête avec un caillou ou un autre objet dur. Il peut aussi le pousser en bas d'une glissade sans même réaliser ce qu'il vient de faire car il se trouve tout d'un coup dans un état de confusion mentale qui peut être même psychotique. Être psychotique, c'est être totalement coupé de la réalité.

Les professeurs constatent ce phénomène régulièrement mais ils réalisent rarement qu'ils ont à faire à un enfant qui est au stade du «miroir brisé». Lorsque cet enfant se retrouve en punition assis sur une chaise dans le bureau du directeur, il a l'air tout à fait normal. Comment cela se fait-il? Cet enfant isolé dans le bureau du directeur qui est en général une pièce retirée où il n'y a pas de bruit, n'est plus désorganisé par une multitude de stimuli sensoriels et alors qu'il attend le responsable de la discipline, il a le temps de retrouver ses esprits.

C'est ainsi que lorsque le directeur arrive finalement pour régler le problème, il se trouve face à un enfant qui a l'air tout à fait normal. L'enfant s'excuse sincèrement pour sa conduite car il ne comprend vraiment pas pourquoi il a agi ainsi. Le directeur est satisfait de son repentir, il laisse tomber toute cette histoire et l'enfant retourne sur le terrain de jeux...

N'importe quelle stimulation peut amener les pensées d'un enfant au stade du «miroir brisé» à se disloquer et à s'obscurcir. Une telle confusion lui donne des sentiments douloureux qui sont plus pénibles à supporter que ceux de la dépression. L'enfant peut être littéralement torturé en lui-même. Les drogues soulagent ce genre de tourment et c'est ainsi que ces enfants, malheureuses victimes de traumatismes abjects, se tournent très jeunes vers les drogues. Ils deviennent dépendants très rapidement, souvent dès leur première expérience, car ces substances leur permettent de garder sous contrôle leurs pensées et leurs émotions.

Évidemment, les enfants au stade du «miroir brisé» deviennent des adultes au stade du «miroir brisé» qui ont beaucoup de difficultés à décrire leurs sentiments. Ils utilisent les expressions: un sombre pressentiment, le sentiment d'un malheur imminent, la sensation qu'ils évoluent dans une noirceur extrême et globale. Ils affirment qu'il y a des moments où il leur est impossible de se débarrasser de la douleur que leur causent ces sentiments. Ils ont alors l'impression d'être prisonniers sous une couverture noire qui s'est abattue sur eux.

Ces sentiments bien sûr, vont et viennent selon la situation vécue et la quantité de stress ou de stimulation que l'individu subit. Par contre lorsqu'ils sont très aigus, celui-ci fera n'importe quoi pour se sentir mieux. Or prendre des drogues engourdit ces terreurs. Vous comprenez pourquoi les gens qui ont un tel trouble de la personnalité deviennent très jeunes des drogués.

Joyce est un exemple d'enfant au stade du «miroir brisé» qui a commencé à se droguer et à boire à l'âge de 14 ans. Elle a maintenant 24 ans et elle est la mère de deux enfants. C'est une petite femme, triste et alcoolique. Elle a vécu une enfance bizarre entre deux parents alcooliques. Elle m'a confié:

«Dr Campbell, je ne pouvais jamais prévoir d'une minute à une autre si mes parents allaient m'assommer ou m'embrasser ou peut-être me lire une histoire. Bien qu'ils soient tous les deux alcooliques, ils ont toujours réussi à conserver des occupations lucratives et nous avions à peu près tout ce que nous voulions.

Mon père était vraiment bizarre. Parfois il me prenait dans ses bras et riait et me racontait sa journée et moi, à mon tour, je riais et je lui racontais tout ce qui était arrivé à l'école. Puis, peut-être seulement trente minutes plus tard, il pouvait me jeter sa chaussure à la tête ou me piétiner sur le plancher parce que j'avais oublié de lui apporter son journal.

Ma mère aussi était déroutante. Je me rappelle d'une fois où elle m'avait fait une robe pour un bal de fin d'année. Elle était magnifique. Elle avait voulu que je l'essaie au moment même où je quittais la maison pour aller à l'école. Je n'avais pas le temps et je lui avais dit que je le ferais dès que je serais de retour.

Ce soir-là, en rentrant, j'avais trouvé ma robe déchirée en morceaux sur mon lit. J'en suis presque morte. Mais j'ai appris à les ignorer. Je crois que je suis devenue insensible à leurs réactions.»

Hélas, quoi qu'elle en dise, Joyce n'a pas réussi à ignorer ses parents aussi bien qu'elle l'aurait voulu. La réalité est qu'elle a été incapable de supporter de telles excentricités et sa vie familiale l'a endommagée au point de provoquer en elle un trouble de la personnalité à la limite du pathologique. Aujourd'hui, elle est une jeune femme malade et sa maladie sera difficile à guérir car cela fait si longtemps qu'elle s'appuie pour vivre au jour le jour, sur les drogues et l'alcool.

Le traitement doit impliquer toute la famille

Le stade du «miroir brisé» est un problème de famille tout comme la dépression, les difficultés de l'apprentissage scolaire et les troubles du même genre. Quand la famille s'unit pour chercher la guérison, le pronostic est en général encourageant. Toutefois si la famille reste indifférente, l'enfant aura des difficultés extrêmes à surmonter son désordre.

Kathy est une enfant au stade du «miroir brisé» dont les parents ne se soucient pas de sa maladie ni de son traitement. Elle a 18 ans et c'est une jeune fille tourmentée. Elle a déjà recherché de l'aide pour sa toxicomanie, mais sans résultat. Elle est maintenant boulimique. Elle a essayé de se suicider à deux reprises et elle est toujours dépendante des drogues.

J'ai fait hospitaliser Kathy à cause de sa tendance suicidaire et de ses impulsions boulimiques. La boulimie est une maladie caractérisée par une consommation effrénée de nourriture suivie de vomissements forcés. Tout comme la dépendance aux drogues, la boulimie est un symptôme d'un problème psychologique beaucoup plus profond. Kathy a donc trois problèmes majeurs: elle a un trouble de la personnalité; elle est boulimique et elle est droguée. Chacun de ces problèmes est le signe d'un déséquilibre psychologique.

La première fois que j'ai vu Kathy, c'était à l'hôpital et ses parents étaient avec elle. Ils avaient l'air affectueux et soucieux de son bien-être mais lorsque j'ai essayé de leur fixer un rendez-vous pour une thérapie familiale, ils ont immédiatement avancé une série d'excuses pour dire qu'ils ne pouvaient pas venir.

«Ne vous souciez pas pour eux, me dit Kathy. Ils sont toujours ainsi quand je me trouve en difficulté. Ils donnent au médecin l'impression qu'ils m'aiment et qu'ils se soucient de moi, mais c'est de la comédie. Ils se fichent de tout ce qui peut m'arriver.

— Ne t'inquiète pas de ça pour le moment, ai-je répondu à Kathy. On pourrait se parler tous les deux. Par quoi aimerais-tu commencer?»

Kathy a parlé, et au fur et à mesure qu'elle me racontait son histoire, les raisons de ses maladies ont été évidentes. D'après ce qu'elle m'a dit et selon les documents que j'avais en main, ses parents ne lui ont jamais offert un soutien moral. Ils ne lui ont jamais manifesté un intérêt particulier non plus, alors qu'ils ont toujours encouragé son frère. J'ai cru Kathy car les excuses que ses parents m'ont données pour ne pas accepter mon rendez-vous, tournaient toutes autour de ses compétitions sportives à lui, auxquelles ils devaient obligatoirement assister.

«S'ils ne m'aiment pas, c'est probablement parce que je suis grosse et laide et que lui est mince et bon sportif. Je ne sais pas. Je sais que j'ai tout fait pour leur plaire mais ça n'a rien valu. Ma mère n'arrête pas d'être après moi: Range ta chambre. Perds du poids. Peigne tes cheveux. Trouve-toi du travail. Voilà, c'est tout ce que j'ai entendu d'elle quand j'étais à la maison.

— Kathy tu as dit «quand j'étais à la maison». Où vis-tu maintenant?

— Maman m'a flanquée à la porte l'année dernière. Je vis avec une amie maintenant après avoir essayé, mais en vain, de vivre chez mon oncle et ma tante. Vous êtes au courant, n'est-ce pas?»

Oui, j'étais au courant de cet épisode de la vie de

Kathy. Son oncle l'avait molestée sexuellement à plusieurs reprises alors qu'elle vivait chez lui. Elle avait finalement essayé de le dire à sa mère, mais sa mère n'avait pas voulu la croire.

«Je suppose que vous savez aussi que mon frère a molesté ma petite cousine de 5 ans quand il avait 14 ans, a continué Kathy. Vous pouvez être sûr que mon père et ma mère se sont précipités avec lui chez le psychologue. Ils étaient absolument convaincus qu'il ne pouvait rien avoir de travers chez leur merveilleux fils et ils allaient se dépêcher de le prouver. En tous cas, ils sont allés à trois ou quatre séances avec lui. Ça c'est beaucoup plus que ce qu'ils ont fait pour moi.»

Alors que je travaille avec Kathy, je n'ai aucune difficulté à comprendre qu'elle ait un trouble de la personnalité et qu'elle soit boulimique. Je comprends aussi pourquoi elle essaie d'échapper aux tourments de son existence en se droguant. Par contre, ce que je ne comprends pas c'est que ses parents qui, selon toute apparence, sont des gens intelligents car ils occupent chacun un poste plein de responsabilités, ne possèdent aucune compétence pour l'éducation de leurs enfants.

Kathy devra pour un temps encore rester à l'hôpital. Elle a un long chemin à parcourir avant qu'elle se mette à voir clair dans son problème. Elle a une très piètre estime de soi. Elle est encore très boulimique et elle soudoie ses copains pour qu'ils lui apportent en cachette des bonbons afin qu'elle puisse festoyer puis se faire vomir.

L'enfant est un tout

Le cas de Kathy nous donne un exemple grave d'auto-médication en vue d'amortir la douleur d'une maladie. Incorrectement diagnostiquée dans le passé, Kathy est maintenant véritablement en danger. Ses traitements antérieurs se sont résumés à de courtes hospitalisations, quelques séances de psychothérapie et des avertissements de ne plus toucher aux drogues. Kathy a essayé sincèrement de faire ce que son conseiller lui a proposé, mais elle en est incapable. Elle est trop malade. Encore une fois, ce cas nous pousse à insister sur le fait qu'il faille exiger et obtenir un traitement global dès qu'il s'agit d'un enfant qui prend de la drogue. La toxicomanie de Kathy ne pourra être réglée que si on règle *tous* ses autres problèmes.

Dire que le problème de Kathy est tout simplement un manque de communication avec ses parents combiné à un peu de pression de la part des copains, puis se contenter de lui faire la leçon pour qu'elle ne touche plus aux drogues est totalement absurde. Or c'est ce qui s'est passé avec elle. Il n'y a pas à s'étonner qu'elle soit présentement dans un tel état de santé physique et mentale.

Nous avons fait un constat de santé complet de Kathy. Nous avons contacté son directeur d'école et ses professeurs ont accepté de lui faire parvenir ses leçons et ses devoirs à l'hôpital. Elle participe de tout son cœur à une psychothérapie de groupe. Par-dessus tout cependant, nous allons continuer à essayer d'amener ses parents à s'impliquer dans son traitement. S'ils ne le font pas, Kathy va trouver extrêmement difficile, quoique non impossible, de s'en sortir.

J'espère que ce chapitre vous a aidé à comprendre une autre raison pour laquelle un enfant peut se tourner vers les drogues. Une fois de plus il faut apprendre à intervenir aussi rapidement, aussi tôt que possible avec les enfants qui souffrent de problèmes mentaux et neurologiques. Plus ils sont âgés, plus les plaies sont profondes et difficiles à guérir. Mais rassurez-vous et ne désespérez pas: ils restent traitables.

Notre discussion des causes de l'usage des drogues tire à sa fin. Comme vous le voyez vous-même, il est difficile de ne pointer qu'une seule et unique cause. La colère et la dépression sont deux causes majeures des toxicomanies. Ajoutez à cela la souffrance des difficultés de l'apprentissage scolaire ou d'un trouble de la personnalité et vous n'aurez plus aucune peine à comprendre pourquoi un enfant peut se tourner vers les drogues.

1. *Drug Scene Update*, Pride, 1987.

7

Résoudre la toxicomanie de votre enfant

«Ce fut un voyage vers le haut formidable, mais la descente ne fût pas si agréable que ça.»

Steven, 14 ans, drogué

Dans ce chapitre, je veux vous indiquer d'une manière précise ce que vous devez faire si votre enfant prend des drogues. C'est toujours une mauvaise nouvelle que d'apprendre que son enfant se drogue. La bonne nouvelle, c'est de savoir que vous pouvez faire quelque chose à ce sujet. Votre famille sera plus saine et plus heureuse si vous vous serrez tous les coudes et que vous luttez ensemble contre ce fléau.

Commençons à nouveau avec un questionnaire. Vous devriez maintenant n'avoir plus aucun problème pour y répondre correctement.

Vrai   Faux

_____   _____   1. Tous les enfants savent pourquoi ils se droguent. Ils sont tout simplement trop têtus pour en parler.

_____   _____   2. En général, il n'y a qu'une seule raison bien précise pour laquelle un enfant se drogue.

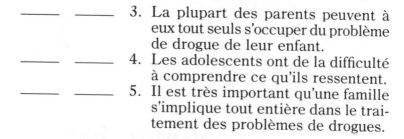

3. La plupart des parents peuvent à eux tout seuls s'occuper du problème de drogue de leur enfant.

4. Les adolescents ont de la difficulté à comprendre ce qu'ils ressentent.

5. Il est très important qu'une famille s'implique tout entière dans le traitement des problèmes de drogues.

Jusqu'à présent nous avons parlé de la drogue et du monde dans lequel nos enfants vivent. Nous avons aussi parlé de la colère, de la dépression, des difficultés de l'apprentissage scolaire et d'autres causes de l'usage des drogues. Maintenant je veux vous aider à trouver des solutions. Comme il arrive souvent que d'entendre l'histoire des autres nous aide à voir clair dans nos problèmes, je vais vous raconter comment Larry Schmidt, Peggy Wiliams et Johnny Alton s'en tirent.

Larry Schmidt ne savait pas pourquoi il se droguait. Tout ce qu'il savait, c'est que ces toxiques lui permettaient de se sentir mieux. Fondamentalement, Larry se droguait parce qu'il souffre de psychose maniaco-dépressive. Après un examen approfondi, nous avons tout de suite compris son problème et nous travaillons en ce moment avec Larry et sa famille pour l'aider à se stabiliser dans la vie.

Ce jeune homme est encore très provocant. Il est rempli de colère. Par exemple, au cours de sa dernière visite à mon bureau, il s'est mis à ergoter: «Je vais vous dire ce que j'en pense, Dr Campbell. Je ne vois vraiment pas pourquoi prendre une bière de temps en temps peut faire le moindre tort à quelqu'un. J'ai beaucoup d'amis qui boivent une bière ou deux et ça ne leur fait pas de mal du tout.»

Pour Larry, boire de la bière est dangereux pour plusieurs raisons: À cause de sa maladie, il prend un médicament. Le mélange de l'alcool et de ce médicament peut lui nuire physiquement mais aussi nuire au bon déroulement de son traitement. Une seule bière le conduirait pour sûr vers l'usage puis l'abus des drogues et on se retrouverait tous à nouveau au bas de l'échelle.

Ce qui est encourageant avec Larry, c'est que ses parents commencent à prendre tout ça à cœur. Son père en particulier, a eu beaucoup de difficultés à comprendre pourquoi Larry avait pris des drogues, mais maintenant il accepte sa maladie.

Au cours de leur dernière visite alors que Larry parlait de son désir de prendre de la bière, Mr Schmidt s'est fâché:

«J'aimerais bien que tu te redresses assez vite, dit-il à son fils. Il y a des jours où tu nous rends littéralement fous, ta mère et moi, surtout ta mère.

— Ouais, mais que dois-je faire? Rester assis toute la journée et comme une marionnette dire: Oui madame, non madame?

— Est-ce cela que ton père et ta mère te demandent de faire, ai-je demandé?

— Non, bien sûr que non, Dr Campbell. Mais je deviens enragé quand on me dit constamment quoi faire. J'aimerais bien pouvoir prendre quelques décisions tout seul de temps en temps.

— Penses-tu que décider de prendre de la bière est sage, ai-je demandé?

— Je ne sais pas.»

Larry a commencé à s'agiter. J'ai alors changé de sujet. Je savais que récemment, il avait commencé à prendre des leçons de guitare.

«Comment va la musique? Ça te plaît toujours?

— Ouais. Je vais peut-être mettre sur pied un groupe. Mon professeur trouve qu'il y a parmi nous deux ou trois assez bons guitaristes. On va pouvoir jouer dans les réunions à l'école et dans des trucs comme ça.»

Les problèmes de Larry ne sont pas résolus, mais au moins on y travaille. Nous avons inclus dans son traitement, son médecin de famille et ses professeurs et je sens que nous faisons des progrès. Un diagnostic beaucoup plus précoce aurait fait toute la différence du monde dans la vie de Larry et les drogues ne seraient probablement jamais devenues une partie si importante de sa vie.

Pour ce qui est de Peggy Williams, elle nous fût amenée au tout début de son problème de drogues et sa mère l'a pas mal encouragée. Une évaluation complète de son cas et les séances de psychothérapie qui ont suivi, nous ont permis de bien cerner ses difficultés.

Au cours d'une séance, Mme Williams m'a dit:

«Vous savez, Dr Campbell, si seulement j'avais su que Peggy est une «25», la vie aurait pu être tout autre pour elle. Elle avait toujours l'air d'une fille si bien élevée. Je n'ai jamais réalisé combien elle en avait gros sur le cœur. En tout cas, il y a du bon à tout cela: excepté le fait que Peggy va tellement mieux, sa jeune sœur en profite énormément. Mais je me sens encore tellement coupable quand je pense à la souffrance que mon ignorance a infligé à Peggy...»

J'entends cette phrase très souvent. Je rassurai Mme Williams et je lui dis qu'elle ne devait pas continuer à avoir du remords.

«Considérez plutôt le chemin parcouru, lui dis-je. Peggy va bien et toutes les deux vous avez eu pour la première fois de votre vie, une chance unique de vraiment vous connaître. Vous avez fait ce que vous pouviez à l'époque. Maintenant ne reculez pas en arrière en laissant la culpabilité vous ronger. Votre fille n'a vraiment pas besoin de cela. Elle fait de grands progrès.»

Le visage de Mme Williams s'illumina:

«Vous avez certainement raison, Dr Campbell, me répondit-elle. Maintenant au moins je connais beaucoup mieux ma famille et nous sommes tellement plus heureux que nous ne l'avons jamais été. Bien sûr, on se dispute encore et on fait encore bien des choses que nous faisions avant, mais je connais les écueils à éviter et quand je suis en difficulté, je sais que je peux toujours vous téléphoner.»

Je suis satisfait des progrès que cette famille a faits. Elle a travaillé très dur pour arriver là où elle est aujourd'hui. Par contre Johnny Alton me cause du souci. Bien que son père soit venu me voir et qu'il ait assisté à deux réunions des A.A., je ne crois pas qu'il soit pleinement conscient de son problème ni de celui de son fils. Les Alcooliques Anonymes sont une organisation extrêmement utile, mais Mr Alton a besoin, en plus, d'une psychothérapie.

Chaque jour je recherche de l'aide auprès de Dieu, et cette famille est dans mes prières. Je suis heureux de constater que Mme Alton est en train de prendre conscience de sa position au sein de sa famille de par le passé, et elle semble commencer à s'affirmer un peu plus. Elle est devenue un soutien puissant pour Johnny.

Combien je désirerais que la vie de Johnny soit un peu plus facile pour lui mais le monde de l'enfant affligé de difficultés de l'apprentissage scolaire peut être drôlement dur. Johnny a fait beaucoup de découvertes sur lui-même et au moins il peut maintenant compter sur l'encouragement de sa mère. La vie semble vouloir prendre un autre tournant pour lui.

Si l'on examine ces trois cas, on voit qu'aucun de ces enfants ne savait pourquoi il prenait de la drogue. Nos recherches nous ont permis de comprendre ces enfants et elles les ont aussi aidés à se comprendre eux-mêmes. Les adolescents ont beaucoup de difficultés à identifier leurs sentiments profonds. Aucun de ces enfants dont nous vous avons raconté l'histoire, ne réalisait qu'il prenait de la drogue pour des motifs inconscients.

Nous prenons tous presque toutes nos décisions en les basant sur ce que nous ressentons. Les enfants se sentent déprimés ou ils en ont marre... et alors ils peuvent se mettre à faire usage de drogues. Pour prendre cette décision, ils ne passent pas par un processus mental rationnel et logique. Les drogues leur donnent un bon sentiment, alors ils en prennent. Ils ne comprennent pas vraiment pourquoi.

Il est rare que les gens cherchent réellement à prendre la bonne décision. Ils justifient tout simplement leurs sentiments et ils se convainquent qu'ils ont raison. On appelle ce processus mental la rationalisation. Les enfants tout comme les adultes rationalisent.

C'est parce que la rationalisation existe que le traitement des toxicomanies peut être si difficile. Quiconque
ne cherche pas à comprendre tout le passé d'un enfant
et toute l'arrière-scène de son problème de drogues,
ne fait que rationaliser, déterminé qu'il est à ne voir
son assuétude que de la manière qu'il veut bien la voir.
L'enfant, l'adolescent, les parents et les professeurs
peuvent tous penser qu'ils ont la bonne réponse et tous,
ils vont tout faire pour prouver qu'ils ont raison.

Les ravages de la théorie
du diagnostic unique

Quiconque croit posséder toute la connaissance
sur les toxicomanies, se trompe royalement. Personne
à lui seul, ne connaît tout ce qu'il y a à connaître sur
ce sujet douloureux. Une personne sage doit avoir l'esprit ouvert pour essayer de considérer ce problème
complexe sous tous ses angles; car il faut le comprendre,
il est extrêmement complexe et on ne peut pas parler
seulement d'un problème de dépendance physique ou
de quelque chose que l'on fait uniquement parce que
«le diable m'y a poussé».

Les parents se sentent souvent totalement démunis
face à un problème de toxicomanie chez leur enfant.
Ils ne savent pas où se tourner. Tout ce qu'ils savent
c'est que leur enfant prend des drogues et qu'ils veulent
qu'il arrête. C'est d'ailleurs parce qu'ils veulent que
leur enfant soit guéri instantanément que beaucoup de
parents sont séduits par «la théorie du diagnostic
unique».

Pour vous faire comprendre l'écueil et le danger
de cette théorie, sans parler de la frustration et des
ravages qu'elle cause aux drogués, permettez-moi de
vous raconter le cas de Polly Lanning.

Polly Lanning a une fille de 18 ans, Lana, qui,
avant de venir me consulter, a passé deux années entières à entrer dans différents centres de traitement et
à en sortir, ainsi qu'à visiter un nombre impressionnant
de conseillers qui avaient tous des idées contradictoires.

Polly, lors du premier rendez-vous, est venue sans sa fille. Quelle histoire que la sienne! Elle m'a dit de but en blanc:

«Je suis ici toute seule, Dr Campbell, car je veux vous décrire le cauchemar que j'ai vécu ces deux dernières années et vous demander s'il y a encore quelque chose à faire pour ma fille. Je l'aime et je désire son bien et sa santé, mais vraiment je ne sais plus où me tourner.

Je vais commencer par le commencement et vous pourrez m'interrompre autant que vous le désirerez. Peut-être qu'à nous deux, nous allons pouvoir aider ma fille. Je l'espère. Voyons. Tout d'abord, j'ai été mariée trois fois. Mon premier mariage s'est effondré parce que j'étais très jeune à l'époque et que je ne savais pas comment agir avec un mari dur et exigeant. Ce mariage m'a cependant donné le bonheur d'avoir ma première fille, Marie. Mon deuxième mariage a été dissout parce que mon mari, le père de Lana, était un alcoolique. Elle avait six ans lorsque nous nous sommes divorcés. Après cela, je suis restée seule pendant six ans, puis j'ai rencontré et aimé mon mari actuel, Hal. C'est un homme merveilleux qui est très gentil avec mes deux filles. Il a lui-même trois grands enfants mais aucun d'eux ne vit avec nous.

Lana avait douze ans quand Hal et moi, nous nous sommes mariés. Nous avons déménagé de la ville où elle avait grandi dans la maison où nous habitons présentement. Il m'a semblé qu'elle a bien accepté ce déménagement. Elle a toujours eu de la facilité à se faire des amis. Un nouveau quartier et une nouvelle école n'ont donc pas été pour elle un problème. L'année de notre mariage, elle est entrée à l'école secondaire. Pendant les deux années qui ont suivi, il ne s'est rien passé de spécial. Elle fut nommée présidente de sa classe et tout semblait être en ordre.

C'est pendant le deuxième semestre de la fin de son cours secondaire que j'ai remarqué une différence subtile dans son comportement. Elle avait à nouveau été élue présidente de sa classe, mais elle se mit à se plaindre de son poste, affirmant qu'elle allait tout laisser tomber. Je remarquai que son groupe d'amis s'était modifié, mais elle m'avait donné pour se justifier de si bonnes raisons que je n'insistai pas.

Puis un soir après l'école, elle m'a annoncé qu'elle avait démissionné et comme excuse, elle me dit qu'elle n'avait pas reçu de collaboration de personne. Elle avait alors tout simplement abandonné le poste de présidente. Elle ne m'avait jamais menti auparavant et donc je la crus. Mais un jour, j'eus des doutes.

Vous voyez, Dr Campbell, j'ai toujours exigé que mes deux filles affichent une liste de tous leurs copains et copines sur la porte du réfrigérateur, avec leurs noms, leurs adresses et leurs numéros de téléphone. Lorsque Lana a changé d'amis, sa liste s'est rétrécie puis finalement, elle est devenue inexistante. Lorsque je lui ai posé des questions à ce sujet, elle m'a répondu que les familles de ses amis étaient bizarres ou qu'elles n'avaient pas le téléphone ou d'autres choses du genre.

Finalement, j'ai réalisé qu'il y avait quelque chose qui n'allait plus. C'était vers la toute fin de son cours secondaire. Elle s'est mise à crier à l'aide. Cela faisait plusieurs fois qu'elle rentrait en retard de l'école. À deux reprises, elle n'était pas rentrée du tout et nous avions alerté la police. La deuxième fois que cela s'est produit, lorsque nous l'avons trouvée, elle nous a demandé de l'aide. Elle nous a dit qu'elle se droguait et qu'elle voulait s'en sortir. Nous l'avons immédiatement fait entrer dans un centre de traitement et c'est ainsi qu'ont débuté ces deux années où nous avons tout essayé pour Lana.

Elle a été placée dans l'unité à sécurité maximale de ce centre, car elle avait essayé de se suicider. Mais elle a soudoyé là quelqu'un pour qu'il lui obtienne une permission pour aller au gymnase et elle et une autre fille sont tout simplement sorties de l'hôpital. Lorsque nous l'avons appris, Hal et moi, nous nous sommes précipités à l'hôpital pour savoir ce que nous devions faire.

— Comment l'avez-vous retrouvée? l'interrompis-je. L'avez-vous à nouveau hospitalisée?

— Oh! oui. Alors que nous étions à l'hôpital, le père de l'autre fille a téléphoné et a demandé à nous parler. Il nous a annoncé qu'il avait Lana avec lui et qu'elle se portait bien mais qu'elle ne voulait absolument pas revenir à l'hôpital. Il a dit qu'il nous dirait où elle était si nous promettions de ne pas la ramener ici. J'ai promis. Je suis allée la chercher et je l'ai ramenée à l'hôpital.

— Comment a-t-elle réagi?

— Elle a été violente. Elle m'a maudite. Elle m'a craché dessus. Elle m'a accusée d'avoir menti et de l'avoir trahie. Mais, Dr Campbell, que pouvais-je faire d'autre? Selon ce que nous avions appris à l'hôpital à son sujet, elle avait essayé toutes les drogues possibles et en plus, elle avait tenté de se suicider. Je savais que j'avais sur les bras une fille très malade. On ne s'entendait pas du tout à la maison. Il fallait bien que je la ramène à l'hôpital.

À l'hôpital, j'ai insisté pour obtenir un diagnostic. On nous a dit qu'elle souffrait d'une psychose maniaco-dépressive. Je n'avais jamais entendu parler de ce problème et lorsque j'ai demandé des explications, on m'a dit que cela l'amenait à souffrir de sautes d'humeur. Je n'ai pas eu de peine à accepter ce diagnostic parce que c'est bien cela que nous avions constaté à la maison.

— Quelle était l'intensité de ses variations d'humeur? demandai-je.

— Eh! bien, Dr Campbell, d'une fille extrêmement bavarde et rigolarde, elle pouvait se transformer en une fille tellement déprimée qu'elle parlait de se suicider. De toute façon, j'ai demandé s'il y avait quelque chose à faire à ce sujet et on m'a dit qu'il fallait lui prescrire du lithium.

— Où était son père biologique pendant tout ce temps? Était-il d'accord avec vos décisions?

— Il s'est trouvé qu'il était en ville le jour où nous l'avons retrouvée, mais il n'a pas montré grand intérêt à son égard. Il était surtout soucieux de savoir quand elle rentrerait à la maison. Il n'était pas sûr que son assurance réussirait à couvrir tous les frais médicaux de son hospitalisation. Il faut que je dise qu'il lui a toujours accordé son soutien financier. Par contre, il ne lui a jamais donné un soutien affectif.

— Combien de temps est-elle restée à l'hôpital?

— Elle a été hospitalisée au milieu du mois de mars et elle est sortie le 1er juin. Son psychiatre lui avait prescrit du lithium et je me suis dit que tout irait bien. Les choses n'allèrent pas trop mal. Nous suivions une psychothérapie toutes les semaines. Son psychiatre trouvait que sa psychose maniaco-dépressive n'était pas aussi grave que le fait qu'elle et moi nous ne nous entendions pas. Il s'est surtout efforcé de nous apprendre à communiquer. Je m'y suis mise de toutes mes forces. Je me sentais si coupable. J'étais vraiment convaincue que son problème, dans sa totalité, était la conséquence de mes erreurs en tant que mère. Hal m'a vraiment beaucoup encouragée et il m'a accompagnée aux séances de psychothérapie.

Mais il nous semblait que nous n'allions nulle part. Puis un jour, une amie m'a demandé si Lana était sous contrôle médical constant. Je ne compris pas sa question. Elle me dit alors que son frère était maniaco-dépressif et qu'il subissait une surveillance médicale régulière parce qu'il prenait du lithium. Cela faisait maintenant à peu près six mois que Lana prenait du lithium et personne ne m'avait dit un mot au sujet de cette surveillance obligatoire.

Je téléphonai à son psychiatre et il me dit qu'il lui ferait passer des tests. C'est alors que j'ai découvert que Lana n'avait même pas pris son médicament. J'étais furieuse contre elle. Tout s'écroulait à nouveau. J'ai cessé de l'amener chez le psychiatre et elle m'a demandé de lui permettre de visiter à nouveau le psychologue qu'elle avait rencontré à l'hôpital. J'ai accepté, mais quelle erreur désastreuse ai-je fait à ce moment!

— Que voulez-vous dire?

— Par exemple, cela faisait à peu près un mois qu'elle le visitait régulièrement. Lorsque je lui ai demandé de m'aider à faire quelques travaux ménagers comme plier le linge, elle m'a répondu qu'elle n'avait pas à le faire car elle n'en avait pas envie. Son psychologue lui avait dit que tout ce qu'elle ressentait et pensait était correct et qu'elle devait écouter ses sentiments.

Je téléphonai au psychologue et lui demandai comment une telle approche allait pouvoir aider ma fille à vivre une vie normale. Il me répondit en m'affirmant que j'avais détruit toute la confiance que ma fille pouvait avoir en elle-même et qu'il travaillait très dur pour reconstruire chez elle l'estime de soi. Je savais très bien que je ne démolissais pas ma fille et comme je ne remarquais aucune amélioration dans ses sautes d'humeur, j'ai cessé de la conduire chez ce psychologue. Après cela, nous sommes retombées dans notre ancienne habitude de se quereller. Cependant, à ses expressions verbales de colère, Lana avait maintenant ajouté quelques tentatives de me frapper. Ses sautes d'humeur s'aggravaient et alors que je cherchais un nouvel endroit pour la faire traiter, elle a à nouveau essayé de se suicider.

Elle avait passé la journée à bouder dans la maison. Je ne sais même plus pourquoi. De toute façon, je me préparais à me coucher lorsqu'elle est entrée dans ma chambre pour nous annoncer qu'elle avait pris un surdosage de médicaments et que nous devions tout simplement la laisser mourir sur son lit. Bien sûr, nous nous sommes précipités avec elle à l'urgence de l'hôpital. Notre docteur de famille s'est occupé d'elle, puis il nous a suggéré de venir vous voir.

Je suis prête à tout laisser tomber. Je ne sais plus quoi faire. Si je suis entièrement responsable de cette tragédie, je ferai n'importe quoi pour changer ce que je peux changer et je supporterai le reste. Je veux qu'elle soit en bonne santé. Elle ne veut pas prendre son lithium. Elle dit qu'il la rend trop fade. Je pense qu'elle aime bien les hauts qu'elle ressent à cause de sa maladie. Je ne sais pas. Oh! c'est une catastrophe. Je n'ai pas cessé pendant deux ans de faire au maximum tout ce que ses psychiatres et ses psychologues m'ont dit de faire. Tous semblent convaincus que le problème de ma fille, c'est moi. Ah! oui, je l'ai aussi amenée chez un autre psychologue qui m'a dit qu'elle était une enfant martyre.

— L'est-elle? demandai-je.

— Absolument pas. Cette enfant n'a pas été molestée physiquement. Maintenant, elle a peut-être souffert de cruauté mentale de ma part. En tout cas, si c'est vrai, cela a été totalement inconscient. Vous ne pouvez pas imaginer le remords qui me torture au sujet de mes deux divorces et je n'ai pas cessé d'essayer d'être vraiment une excellente mère. J'ai tout fait pour compenser pour la souffrance que mes divorces ont causé à mes filles. Peut-être que tous ces psychiatres et psychologues ont raison. Peut-être que tout est vraiment de ma faute. Que pouvons-nous faire Hal et moi?

— Mme Lanning, nous allons tout faire pour arriver au bout de ce problème. Nous allons faire des examens approfondis de Lana. J'aurais besoin de ses bulletins scolaires et de tous ses dossiers médicaux antérieurs. Entre temps, cessez de porter tout le blâme de cette histoire. Vous et votre mari pouvez vous détendre en sachant que nous allons tout faire pour vous aider. Lana, en fait toute votre famille, a assez souffert de ces années de tâtonnements.»

La situation de cette famille est un exemple parfait des ravages que cause un diagnostic unique et étroit. Dans le cas de Lana, toute la culpabilité a été placée sur sa mère alors qu'en réalité, elle n'était pas la cause première de son problème. Il est dommage que sa psychose maniaco-dépressive n'ait pas été considérée comme le facteur principal de sa toxicomanie car elle l'est. C'est ce que nous avons pu établir après des examens approfondis. La maladie de Lana, additionnée d'un comportement passif-agressif normal à l'adolescence et de toutes les erreurs commises en vue de la traiter, a vraiment tourné cette famille à l'envers.

Nous n'avons fait que commencer à travailler avec cette famille, mais je nourris à son égard beaucoup d'espoir. La mère de Lana, sa grande sœur, son beau-père et même ses enfants à lui, se sont tous unis pour l'aider. Ils viennent tous à l'occasion suivre une séance de psychothérapie.

Cette famille est une bonne famille, bien unie. Si Lana coopère, nous allons pouvoir l'aider. Vous voyez encore une fois à travers ce cas, combien il est important de rechercher de l'aide véritable aussi tôt et aussi vite que possible.

Je suis frustré chaque fois que j'entends de grands sportifs faire de la publicité anti-drogues et dire: «Olé, olé! ce sont les copains qui forcent les enfants à prendre de la drogue.» Un tel message peut amener les parents à garder leurs enfants en réclusion, ce qui ne fera qu'aggraver le problème car les jeunes ont besoin d'amis.

Je suis aussi frustré lorsque j'entends des professionnels agiter la théorie du diagnostic unique en affirmant: «Tout ce qu'il faut, c'est communiquer et leur faire confiance. Donnez à vos enfants un peu plus de liberté. Laissez-les respirer.» Bien sûr, plus souvent que non, cela amène les parents à laisser trop de liberté à leurs enfants et à leur faire trop confiance: On ne pose plus de questions; on les laisse aller et venir à leur guise. Cette situation est évidemment parfaite pour qu'ils continuent à prendre des drogues.

Certes la pression des copains, ça existe. Oui, il y a des parents trop durs. Évidemment, il y a des parents qui ne communiquent pas du tout avec leurs enfants. Mais, soyez bien sûr qu'aucun de ces facteurs n'est à lui seul, la cause première de l'usage des drogues chez les jeunes. Pour qu'un enfant développe une dépendance, il faut presque toujours non seulement une combinaison de tous ces facteurs, mais encore, il y a encore et toujours autre chose derrière tout ça.

L'usage des drogues par les parents

Un facteur important mais négligé des toxicomanies est la fréquence de l'usage de produits psychotropes (alcool, médicaments) par les parents des enfants toxicomanes[1].

Ce phénomène est évident dans l'histoire de Todd. Sa mère a fait un usage abusif de médicaments et d'alcool pendant 14 ans. Todd est maintenant un jeune homme. Très intelligent, il est en train de terminer ses études

collégiales. Il veut se marier après la remise des di-
plômes et c'est sa fiancée qui l'a convaincu de rechercher
de l'aide pour sa propre toxicomanie.

«Cela n'a pas été facile, Dr Campbell, m'a dit en
commençant Todd. J'avais environ sept ans quand maman s'est fait opérer la vésicule biliaire. Je suppose
que c'est après cette opération qu'elle a commencé à
faire un usage abusif de médicaments. Vous voyez, son
médecin lui prescrivait un nombre illimité d'anesthé-
siques. Elle en avait constamment une réserve importante car elle se plaignait de maux de dos puis, plus
tard, elle s'est plainte de dépression nerveuse et de
frustration. Pendant tout ce temps, mon père, mon frère
et moi, nous l'avons vue décliner mais nous refusions
de regarder la réalité en face et nous acceptions les
excuses qu'elle nous donnait pour justifier sa consommation exagérée de pilules.

Je me rappelle très peu de choses des premières
années de sa maladie. Je me rappelle bien que je sentais
qu'il y avait un problème, mais je ne comprenais pas
de quoi il s'agissait. Les seuls souvenirs qui me restent
de ma pré-adolescence, sont terribles. Je me rappelle
que je restais éveillé nuit après nuit et que j'écoutais
couché dans le noir, les yeux grands ouverts, les hor-
ribles disputes de mes parents. Je ne savais pas à cette
époque que la cause de ces cris était la toxicomanie
de ma mère. Je ne sais trop pourquoi mais je me suis
alors dit que tout cela était de ma faute et je pleurais
chaque nuit car je n'arrivais pas à trouver une solution
à cette horrible situation.

C'est à l'adolescence que j'ai appris que ma mère
se droguait mais, comme le reste de la famille, j'ai
continué à nier son problème. Cela faisait maintenant
au moins deux ou trois ans que je m'occupais de la
maison. Il me semblait qu'on m'avait privé de mon enfance mais je faisais tout ce qu'on me disait de faire
parce que c'était la seule façon d'avoir la paix à la
maison.

C'est à l'école secondaire que j'ai commencé à avoir
des informations sur le phénomène des toxicomanies.
Je me suis mis à pousser mon père et mon frère aîné

à faire traiter ma mère. Au même moment, je me suis mis à profiter de la plus grande liberté dont je jouissais grâce à mon âge, pour éviter de rentrer à la maison et rester loin aussi longtemps que possible. Lorsque je rentrais à la maison, je restais dans ma chambre pour regarder la télé ou lire un livre. Je ne me sentais bien que lorsque je n'étais pas à la maison ou lorsque maman était sur la route, en train de travailler à l'un de ses nombreux et courts emplois.

Je n'avais aucun espoir pour elle. Pour ce qui me concernait, il me semblait qu'il n'y avait qu'à l'enfermer quelque part. De toute façon, je ne faisais que penser ce qu'elle répétait si souvent. Mais mon père ne l'a jamais abandonnée. Lui et ma grand-mère maternelle n'ont pas cessé d'insister jusqu'à ce qu'ils réussissent à lui faire suivre un traitement. Elle a accepté un jour d'aller dans une maison dirigée par les Alcooliques Anonymes. Les gens de cette organisation ont sauvé ma mère et ma famille. Ça fait un an maintenant qu'elle est libérée et papa et elle sont en train de reconstruire leur vie.

C'est pour cela que je suis ici, Dr Campbell, et que je vous parle. Moi aussi je veux reconstruire ma vie. Je commence à être capable d'aimer ma mère à nouveau et comme vous le savez, je me marie cet été. D'ailleurs si ce n'était pas de cette magnifique femme que je vais épouser, je crois que j'aurais fini comme ma mère. Heureusement que ma future épouse me comprend et qu'elle comprend aussi mon problème.»

La famille de Todd a fait ce que la plupart des familles où il y a un ou plusieurs toxicomanes, font: Elle a tout simplement nié qu'elle avait un problème. Ce démenti de la vérité a amené le père de Todd en particulier, et les autres membres de la famille, à faire la leçon à sa femme et à être constamment sur son dos. En fait, tous ils admettaient qu'il y avait un problème tout en le désavouant simultanément. Toute la famille voulait garder l'illusion qu'«une belle famille comme la nôtre n'a pas dans son sein des alcooliques et des drogués dégénérés».

Todd m'a dit qu'il a vu son père devenir la proie de la maladie de sa mère et se retrouver sans aucune défense et complètement dérouté. Personne semblait ne rien pouvoir y faire. C'est toujours ce qui arrive dans ces tristes situations. Le conjoint se retrouve en train d'éponger des dettes, de maintenir la famille à flot et de sauver constamment la face de l'alcoolique.

«Dr Campbell, les choses étaient cauchemaresques. Mon père est devenu un acharné du travail. Il passait chaque journée et chaque soirée à son magasin. Si je regarde en arrière, je vois bien que c'est ainsi qu'il essayait d'échapper au problème de ma mère. Oh! il essayait bien de passer par-ci, par-là du temps avec moi, mais le travail était sa drogue.»

Les enfants qui viennent de familles où l'on souffre de toxicomanies médicamenteuses ou autres, grandissent avec le sentiment d'une puissante solitude. Ils sont les victimes innocentes d'une maladie qu'ils ne peuvent pas contrôler. Or celle-ci modèle leur personnalité et dirige leur comportement jusque dans leur vie d'adultes. Ces enfants ont peu de chances d'échapper aux méfaits de cette maladie s'ils ne reçoivent pas de l'aide extérieure. Ils deviennent à leur tour très fréquemment non seulement des toxicomanes comme Todd mais ils apprennent aussi à jouer un rôle au sein de leur famille. On a remarqué que ces enfants peuvent embrasser un ou plusieurs des rôles suivants:

— l'enfant sur qui l'on peut toujours compter;
— l'enfant qui s'accommode de tout;
— l'enfant qui cherche à faire la paix;
— l'enfant qui défie tout.

Comme Todd l'a mentionné plus haut son premier rôle a été celui de l'enfant sur qui l'on peut compter. Il gardait la maison en bon ordre. Puis il a joué pour un temps le rôle de l'enfant qui cherche à faire la paix. Il a essayé d'aider ses parents à rester en bons termes à n'importe quel prix et cela lui a coûté cher. Ce rôle est similaire au deuxième rôle, celui de l'enfant qui s'accommode de tout. Il est flexible et il essaie d'accepter et de tirer le meilleur parti de tout ce qui survient. Il se contente de hausser les épaules quand les plans de la famille sont bouleversés à la dernière minute à cause du parent toxicomane.

Puis un jour Todd a épousé le quatrième rôle. Il s'est mis à défier sa famille et à faire lui aussi usage et abus de drogues. C'est alors qu'il a rencontré la jeune femme qu'il va marier et qu'il a commencé à voir les choses sous un autre angle. Il suit maintenant réguliè- rement des séances de thérapie avec sa fiancée et sa famille.

Todd est un jeune homme fort. Il va probablement s'en sortir. Par contre beaucoup d'enfants de familles de toxicomanes sont marqués pour la vie. Plus que les autres enfants, ils ont tendance à être des dropés, à avoir un grand nombre de problèmes physiques et émo- tifs et à boire et à fumer. Souvent ils ont beaucoup de difficultés à avoir confiance dans leurs propres senti- ments et cela les empêche de créer des relations stables et durables avec leurs amis et leur conjoint.

L'usage des drogues et la théorie du manque de spiritualité

Si un enfant peut avoir le bonheur de connaître Dieu tel qu'Il est vraiment, comme un Dieu qui l'aime et qui se soucie sincèrement de lui; s'il peut Le voir comme une figure d'autorité bienveillante plutôt que comme un tyran, alors cette connaissance intime de Dieu — connaissance qui peut s'acquérir par une lecture quotidienne de Sa Parole — peut être pour lui une force puissante pour l'aider à ne pas toucher aux drogues. Malheureusement, et cette réalité est solennelle, comme les enfants voient toujours et d'abord Dieu à travers ce qu'ils ont vu et perçu chez leurs parents, beaucoup d'adolescents d'aujourd'hui ont de Dieu une idée ex- trêmement défavorable.

Je crois qu'un enfant doit recevoir une formation spirituelle et cela signifie qu'il doit apprendre à connaître le Dieu qui a dit qu'Il était Amour[2]. Par contre le manque de spiritualité chez un enfant ne peut pas être considéré comme la cause initiale de son usage des drogues. C'est pourquoi se mettre à endoctriner les enfants qui se droguent ne peut absolument pas les sortir de leur pétrin.

Dernièrement, j'ai fait la connaissance d'une organisation qui proclame que c'est le manque de spiritualité qui est à l'origine des toxicomanies. Cette organisation refuse même de prendre en considération les motivations inconscientes de l'usage des drogues. Elle déclare guérir 80 à 90 p. 100 de tous ses patients. Selon elle, quiconque suit son programme jusqu'à la fin est guéri pour sûr. L'on sait très bien, dans le milieu médical, que n'importe quel enfant peut suivre un programme complet de désintoxication et n'être pas pour cela guéri le moins du monde de sa toxicomanie. À moins que toute sa vie, sa vie spirituelle y compris, n'ait été examinée et remise en ordre, il retournera selon toute probabilité aux drogues. Il est dommage qu'il existe de telles organisations qui, en plus, condamnent toutes les autres formes de traitement.

Une évaluation complète pour un traitement efficace

Si vous avez un enfant qui a une dépendance, je vous encourage à chercher de l'aide auprès d'une personne qui est affiliée à un centre de traitement qui considère l'enfant dans sa totalité. Il est impératif que tous les domaines de la vie de votre enfant soient investigués. Vous devriez vous méfier de quiconque condamne tous les traitements excepté le sien. Je le répète, je ne possède pas toutes les réponses mais je sais, pour sûr, qu'il est rare qu'un enfant se tourne vers la drogue pour une seule et unique raison. Dans la toxicomanie, il y a toujours des facteurs physiques, neurologiques, psychologiques et inconscients qui interviennent et les parents doivent apprendre à les reconnaître chez leur enfant.

Les parents ne pourront jamais empêcher ou arrêter l'usage des drogues chez leur enfant s'ils n'ont pas une vaste vue d'ensemble de la situation. C'est la seule façon d'aider votre enfant. Bien sûr, vous ne pourrez jamais connaître tous ses secrets, mais mieux vous le connaîtrez, plus et mieux vous pourrez l'aider à régler les problèmes de sa vie.

Rappelons-nous qu'un enfant ne sait pas pourquoi il se drogue. Il a beaucoup de difficultés à saisir ce qu'il ressent. Cette confusion intérieure le blesse et le rend malheureux. Bien souvent il se tournera alors vers les drogues pour recevoir un soulagement à sa souffrance et à sa misère, comme l'a fait Peggy Williams. Si vous vous en rappelez bien, elle voulait exprimer sa colère mais n'y arrivait pas. Consciemment, elle ne savait pas qu'elle avait besoin d'exprimer sa colère. Tout ce qu'elle savait c'est qu'elle était malheureuse et les drogues l'ont consolée.

S'il vous plaît, il est impératif de comprendre un enfant dans sa totalité si on veut le traiter avec efficacité. Comment voulez-vous vous y prendre si vous n'avez aucune notion de sa personnalité, de son style de vie, de ses inquiétudes et des stress qu'il subit?

Personnellement, quand nous rencontrons un patient pour la première fois, nous cherchons à rassembler à son sujet autant d'informations que possible: Nous voulons connaître les circonstances de sa naissance, son dossier scolaire, son histoire familiale, son histoire affective et sentimentale, quelles sont ses relations avec ses amis, ses parents, etc.

Ensuite nous faisons une évaluation psychologique car nous devons savoir s'il y a chez lui une motivation inconsciente pour sa toxicomanie. Nous avons besoin de cette évaluation pour savoir si le patient est déprimé et jusqu'à quel point. Parfois, au cours d'une conversation, il devient évident que le patient est déprimé mais il est impossible de mesurer la *profondeur* de sa dépression en ne faisant que parler avec lui. Il est aussi difficile, mais pas impossible, de mesurer combien de colère inconsciente et refoulée nourrit un enfant et quelle est la mesure de cette colère qui peut se manifester dans un comportement passif-agressif.

Maintenant et seulement quand toute cette information a été compilée et que nous possédons une image globale de l'enfant, peut-on s'asseoir, parler avec lui et l'écouter. Les adolescents tout particulièrement, arrivent à se découvrir assez facilement si seulement quelqu'un veut bien prendre le temps de leur parler et de les écouter.

Les jeunes subissent aujourd'hui une quantité incroyable de pressions. C'est pourquoi, plus que jamais, ils ont besoin de se connaître. Ils doivent savoir quel genre de personnalité ils possèdent («25» ou «75»?), comprendre pourquoi ils pensent comme ils pensent, comment et pourquoi ils ont les sentiments qu'ils ont. Ils doivent connaître les motivations inconscientes, les pulsions intérieures qui les amènent à faire des choses sans qu'ils réalisent vraiment ce qu'ils sont en train de faire. Par-dessus tout, les adolescents ont besoin de comprendre quelles sont leurs forces et leurs faiblesses.

Lorsque nous faisons une évaluation complète d'un enfant, nous ne cherchons pas seulement à comprendre ce qui ne va pas avec lui mais surtout à rassembler suffisamment d'indices qui nous permettront de le renseigner sur lui-même et de lui faire voir les pourquoi de ses attitudes. Or cela est extrêmement important.

Si votre enfant se drogue et qu'il est présentement en traitement mais s'il n'a pas subi une évaluation complète de son cas et reçu un diagnostic sérieux, il n'est probablement pas entre bonnes mains. Je trouve toujours très décourageant de voir un professionnel qui essaie à lui tout seul de régler la toxicomanie d'un adolescent, surtout quand celui-ci souffre d'un désordre neurologique.

Par exemple, prenons l'enfant hyperactif. Pour ma part, il m'est impossible à moi tout seul de m'en occuper. J'ai besoin de l'aide d'autres professionnels. Cet enfant a besoin de psychothérapie individuelle. Il a besoin de psychothérapie de groupe avec ses parents et ses frères et sœurs. Il a souvent besoin de recevoir un médicament et la prise de ce médicament doit être étroitement surveillée. Cela est aussi vrai pour l'enfant atteint de psychose maniaco-dépressive et parfois pour l'enfant au stade du «miroir brisé». Traiter l'enfant hyperactif sous un seul angle et tout seul est inutile, car il doit chaque fois retourner dans une famille qui ne le comprend pas.

Si votre enfant se drogue, recherchez un centre

de traitement qui offre les services d'un psychiatre, d'un psychologue, d'un travailleur social, de professeurs spécialisés et d'autres professionnels. Je ne peux pas m'arrêter d'insister sur l'absolue nécessité de rechercher ce genre de traitement global pour votre enfant. Il est impossible de diagnostiquer un problème de drogue, de ne traiter que la dépendance physique et de croire que l'on a aidé l'enfant. Son problème est toujours beaucoup plus profond.

J'espère que je vous ai bien expliqué les besoins de l'adolescent qui se drogue. Je souhaite que cela vous permettra de regarder votre jeune et votre famille avec objectivité et d'arriver à l'établissement d'un traitement qui vous sera profitable à tous.

1. White W., Dickerson K., Teen Drug Dealers Uncovering the Real Story, *Teen*, p. 37, February 1988.
2. Psaumes 103 (6 à 14), *La Bible*.

8

Comment garder votre enfant loin des drogues

«Je m'inquiète beaucoup au sujet de mon ami. Il fume de la marijuana et j'ai peur qu'il me demande d'en faire autant. Je ne veux pas, mais je ne veux pas non plus qu'il me quitte.»

Janice, 16 ans, collégienne, abstinente

Le titre de ce chapitre exprime l'idéal de tous les parents: avoir un enfant qui ne touche pas à la drogue dans une société folle de drogues. L'abstinence totale est la seule méthode sûre de prévenir la dépendance aux drogues.

Avant d'entamer ce chapitre, je vous prie de lire les déclarations suivantes. C'est en réfléchissant à ces faits que vous pourrez planifier une stratégie familiale qui aura pour but et résultat de garder votre enfant à l'abri du cauchemar des drogues.

- Plus que n'importe où ailleurs, c'est au foyer que se produisent les abus d'alcool et de drogues.

- Les parents ne font souvent que répéter envers leurs propres enfants les erreurs qui ont été commises à leur égard, quand ils étaient eux-mêmes des enfants.

- Les parents ne devraient jamais utiliser la force pour amener leurs enfants à fréquenter une église. Ils sont sûrs, de cette manière, d'engendrer chez eux des sentiments de frustration et de colère.

- Au fur et à mesure que les enfants grandissent, les parents ont tendance à leur manifester de moins en moins leur affection par des mots tendres et des gestes amicaux.

- La manifestation verbale et physique de l'affection est aussi importante pour un adolescent que pour un jeune enfant.

- Il est extrêmement important que tous les problèmes de l'enfance soient cernés et traités aussi rapidement que possible.

- Pour élever des enfants qui seront sains physiquement et mentalement, il est indispensable de les aimer d'un amour inconditionnel et de ne jamais oublier qu'ils ont des besoins émotionnels, psychologiques, spirituels et physiques.

- Les parents ne doivent pas uniquement compter sur l'école que leur enfant fréquente pour régler son problème de drogue.

- Une étude sur 8000 élèves fréquentant l'école secondaire publiée en 1986, a révélé qu'un enfant sur quatre de 11 à 12 ans avait pris de l'alcool au cours des 12 derniers mois et que un sur dix s'était enivré une ou plusieurs fois au cours de la même période.

Avant de vous raconter l'histoire de Brad, je voudrais soumettre à votre réflexion cette pensée:

«La chose la plus difficile à enseigner à un enfant, c'est à faire de la bicyclette. Un père peut courir à côté de la bicyclette ou rester en arrière et crier des instructions pendant que l'enfant tombe. Un enfant tremblant qui monte pour la première fois sur une bicyclette a besoin et d'appui et de liberté. À bien y réfléchir, on peut être frappé par le fait que c'est exactement de cela qu'il aura toujours besoin[1].»

À trois ans, Brad fit une crise de tous les tonnerres parce que sa mère ne voulait pas lui acheter un jouet. Mais son père s'adressant à sa mère lui dit: «Oh! achète-lui donc. Après tout, c'est notre bébé. Nous avons quatre enfants et nous n'en aurons probablement plus d'autres. Profitons de celui-là.»

À huit ans, il attaqua verbalement son professeur. Il fut extrêmement vulgaire et refusa de faire ses devoirs. Ses parents se rendirent à l'école pour arranger cette histoire. Sa mère s'adressant au professeur, affirma:

«Nous allons tout faire en notre pouvoir pour que cela ne se reproduise pas.

— Oh! voyons, l'interrompit son mari. Je crois que nous prenons tous cet incident beaucoup trop au sérieux. Après tout, il n'a que huit ans. Lorsque j'avais huit ans, moi, je détestais rester assis toute une journée dans une salle de classe. Je crois que l'on peut oublier toute cette histoire. C'est un enfant intelligent et je veux en profiter. Il est inutile de le bouleverser avec des peccadilles.»

À 14 ans, Brad eut des démêlés avec le directeur de son école. Celui-ci exigea que ses parents viennent le voir. Le jour suivant, ils étaient dans son bureau:

«Je pense que vous êtes maintenant au courant, commença le directeur, que Brad a été attrapé ici à l'école avec sa main dans la blouse de son amie et en train de fumer de la marijuana.

— Oui, lui répondit sa mère. Nous sommes très bouleversés et nous allons faire suivre une psychothérapie à Brad.»

Mais le père s'adressant au directeur, tonitrua:

«Un instant maintenant. Brad est tout simplement un homme. Avez-vous vu cette gamine avec laquelle il sort? Allons, vous n'avez jamais eu 14 ans et vous n'avez jamais été amoureux? Pour ce qui est de la marijuana, Brad m'en a parlé. Il ne faisait que tenir le joint pour un ami. Quand même, regardez ses notes. C'est un enfant formidable et vraiment intelligent. J'ai eu plus de plaisir avec cet enfant qu'avec les trois autres réunis et j'ai l'intention de continuer à en profiter.»

Brad a maintenant 21 ans. Il est complètement alcoolique et drogué. Il a fichu en l'air trois automobiles de son père. Il n'a jamais conservé un emploi. Il fréquente le collège pour environ six mois puis il laisse tout tomber car, je cite Brad: «J'ai besoin de me reposer un peu. Ces profs en demandent vraiment trop.» Brad retourne alors à la maison et il utilise l'argent de son écolage pour s'acheter des drogues.

Brad est un de mes patients. Ses parents suivent fidèlement les séances de psychothérapie que je dirige. Sa mère est de bonne volonté et elle voudrait bien suivre le traitement que nous avons mis sur pied pour son fils, mais son père ne veut rien entendre. Il ne cesse pas d'excuser la conduite de son fils. Les deux grandes sœurs et le grand frère de Brad assistent aussi à certaines séances — ils sont tous dans la trentaine — mais vraiment, nous n'avançons pas beaucoup car le père ne veut pas abandonner ses idées.

Un soir, au cours d'une séance de psychothérapie familiale, Katie la sœur de Brad qui est née juste avant lui, s'est adressée à son père:

«Papa, cesse de couver ce garçon. Tu l'encourages à se droguer en lui permettant d'utiliser l'argent de son écolage pour acheter des drogues. Quand vas-tu te réveiller et le flanquer à la porte? Il faut qu'il apprenne à nager ou il va se noyer.

— Allons Katie, je ne peux pas le jeter dehors comme ça. De toute façon, il peut arrêter de prendre ces drogues quand il veut, n'est-ce pas, Docteur? Je suis sûr que bientôt, il va laisser tomber tout cela.

— Mais papa, il a 21 ans, bientôt 22 ans maintenant. Ne penses-tu pas qu'il a eu assez de temps pour grandir? Il dépend totalement en tout et pour tout de toi et maman. Il va vous dépenser jusqu'au dernier centime tout l'argent que vous possédez et après, qu'allez-vous faire?

— Katie, un instant. Cela ne te regarde pas. Occupe-toi de ta propre famille. Nous, nous allons nous occuper de Brad. Il n'est encore qu'un enfant. Bien sûr, il a des problèmes, mais nous aimons bien l'avoir à la maison tout près de nous.

— Ce n'est pas bien, papa. Tu ne cesses de le sortir de tous les pétrins dans lesquels il tombe. C'est toi qui finis tout ce qu'il a jamais commencé. Il n'a jamais eu le privilège de rater la moindre chose.»

Tout au long de cette conversation, Brad était resté assis dans le fond de la pièce à écouter tout cela sans aucune réaction apparente. Je suppose que ce n'était pas la première fois qu'il entendait ces propos. Lorsqu'il eut à quitter la pièce pour quelques instants, son père se tourna vers Katie et lui dit:

«Écoute ma fille, Brad est un garçon sensible et je te demande de ne pas parler comme ça devant lui. Ta mère m'a dit que dernièrement, il s'est mis à parler beaucoup de suicide. Tu ne vois pas qu'on ne peut pas le flanquer dehors? Aimerais-tu être responsable de son suicide? Pour ma part, je ne le supporterai pas, mais pas du tout.»

Malheureusement Brad a effectivement tenté de se suicider, il y a quelques jours. Il a pris un surdosage de drogues et il les a noyées avec de l'alcool.

L'histoire de Brad ressemble à l'histoire d'un nombre infini d'adolescents qui se retrouvent dans des centres de traitement des toxicomanies. Ils aboutissent là parce qu'ils ne possèdent pas les outils nécessaires pour vivre. Tout au long de leur vie, il y a toujours eu des gens qui les ont couvés et qui ont épongé toutes leurs bêtises. À l'adolescence, ces jeunes ressentent la même solitude, la même souffrance, les mêmes peurs, les mêmes pressions, les mêmes déceptions et les mêmes échecs que les autres enfants, mais ils n'ont jamais appris à faire face à ces émotions et à ces frustrations. Ils n'ont jamais appris à commencer et à terminer un travail ni à supporter les conséquences de leurs actes. La sœur de Brad était très sage lorsqu'elle a suggéré à son père que Brad devrait avoir la permission d'échouer. Dites-moi, comment peut-on expérimenter la joie de gagner si l'on a jamais ressenti le chagrin d'avoir perdu?

Tel foyer, tel adolescent

C'est la vie au foyer qui détermine le plus fortement ce que seront les adolescents et la façon dont ils se comporteront. Des recherches ont démontré qu'une vie de famille étroite, conduite par des parents présents et affectueux et contrôlée par une discipline ferme (oui, c'est oui; non, c'est non et cela en tout temps et peu importe les cris, les hurlements, les bouderies ou l'insistance obsédante des enfants), enrayait le développement de comportements antisociaux et l'usage des drogues. Par contre, l'autoritarisme, les châtiments corporels et le manque d'affection entraînent toujours des comportements indésirables.

Pour ce qui est de Brad, il n'a reçu aucune forme de discipline et sa famille n'est vraiment pas une famille unie: Son père satisfaisait le plus petit de ses désirs alors que sa mère et ses grands frère et sœurs étaient ouvertement en désaccord avec lui à cause de la façon dont il élevait cet enfant.

À plus d'une reprise, c'est le père de Brad lui-même qui lui a acheté de l'alcool afin qu'il puisse faire ses surboums à la maison. Il se disait qu'il serait ainsi en sécurité et ne risquerait pas sa vie sur la route. Il ne pensait évidemment pas aux autres jeunes qui eux devraient se rendre chez lui, puis chez eux et qui conduiraient éméchés...

Les parents ne peuvent pas négliger impunément leur rôle de parents qui exige qu'ils soient les professeurs, les modèles et les gardiens de la vie de leurs enfants. On parle beaucoup du fait que les écoles sont des nids à drogues. Il ne faut pas oublier cependant que la plus grande quantité d'alcool et de drogues utilisée dans notre société, l'est au cours de fêtes, de fins de semaine et de vacances, des activités qui toutes, normalement, doivent se faire sous la direction et le contrôle des parents[2].

Je suis moi aussi un parent et je sais par expérience quels sont les problèmes et les écueils de ce métier difficile entre tous. Je sais qu'élever des enfants dans notre monde actuel est tellement ardu qu'il est tout à fait possible d'être un parent au-dessus de la moyenne et d'avoir encore malgré tout, des problèmes avec son enfant.

Vous savez très bien que les enfants n'arrivent pas au monde avec un mode d'emploi, une notice expliquant la manière de s'occuper d'eux pendant 18 ans. Les parents doivent faire au mieux de leurs connaissances. Je vous ai beaucoup parlé dans ce livre de l'importance de la présence affectueuse des parents pour la santé mentale de l'enfant. Il est cependant utile de se rappeler que dès sa naissance, un enfant possède une forme de comportement qui lui est propre. Ainsi, les premières actions d'un enfant ne sont pas nécessairement la responsabilité de ses parents *mais* leur réaction face à sa façon d'agir est excessivement importante.

Il faut avouer qu'il y a des enfants qui sont vraiment difficiles à élever*. Environ 15 p. 100 des enfants naissent avec des traits de caractère pénibles. Les parents de ces enfants doivent être constamment sur un pied d'alerte afin de veiller à ce qu'ils ne souffrent pas de leur mauvais caractère tout au long de leur vie; mais ils doivent aussi veiller à leurs réactions personnelles et faire en sorte qu'ils ne blessent pas leurs enfants difficiles en les cataloguant ou en les rejetant: «Oh! lui, il est toujours comme ça»; «c'est bien lui, ça...»; «ne le remarquez pas, il fait toujours l'intéressant», etc. En découvrant le tempérament de chacun de leurs enfants (est-il un «25» ou un «75»?) les parents éviteront beaucoup, beaucoup d'erreurs.

De nombreux enfants par contre, sont assez faciles à élever. Ils semblent manger et dormir avec régularité et quand ils sont bouleversés, ils se consolent facilement. D'autres enfants réagissent avec une intensité extrême au moindre changement. On ne sait vraiment pas pourquoi il en est ainsi. Une théorie populaire parle d'hérédité. Il semble que dans toutes les familles et dans toutes les sociétés, on rencontre avec la même fréquence à la fois des enfants faciles et des enfants difficiles.

---

* Voir, du même auteur, *Comment vraiment aimer votre enfant*, Orion, Québec.

Le secret d'une bonne éducation est de considérer toutes ces différentes personnalités comme tout simplement normales. Oui, un enfant pleurnicheur est tout aussi normal qu'un enfant calme. La différence entre ces deux enfants se fera par la façon dont leurs parents réagissent à leur nervosité ou à leur placidité.

Il est pernicieux d'essayer de changer la personnalité d'un enfant en la démolissant. Il deviendra pour sûr un adolescent plein de colère, déprimé et désobéissant. Les parents ont un devoir sacré: aimer leurs enfants en dépit de leur personnalité. Bien sûr, en tant que parents nous devons amener nos enfants à vaincre les mauvais traits de leur caractère, mais nous devons avant tout les respecter, c'est-à-dire, ne pas les critiquer sans cesse et claironner à tout moment qu'ils sont difficiles ou qu'ils sont un problème. Vous pouvez être sûr qu'un enfant devient toujours ce qu'on s'attend de lui et l'enfant qui, dès sa petite enfance est étiqueté méchant, bête ou stupide, vous donnera raison: il le sera un jour. Le contraire est aussi merveilleusement vrai, et l'enfant à qui l'on affirme qu'il sera gentil, bon et intelligent le deviendra.

Voici maintenant quelques conseils qui vous permettront de vivre sans trop d'accrocs, ces années parfois terribles, parfois fantastiques, consacrées à l'éducation de vos enfants. Ils vous aideront à aider vos enfants à ne pas prendre de drogues.

Se connaître soi-même

Tout d'abord avant que vous puissiez être un bon parent, il est indispensable que vous vous connaissiez vous-même. Parlons de nouveau de Johnny Alton. Si Mr Alton avait été conscient qu'il souffrait de difficultés de l'apprentissage scolaire, la vie aurait pu être totalement différente pour cette famille.

La plupart des adultes qui souffrent de ces difficultés ne comprennent pas pleinement leur problème. Ils pensent très souvent qu'ils sont bêtes. Ils ont, tout comme les enfants, de la peine à comprendre, à cause de leur handicap, les expressions d'amour et d'affection à leur égard. Ne se sentant pas aimés, ils ont une piètre estime de soi. Or il est très mauvais d'avoir ce genre d'opinion personnelle quand on est parent. Comme me le disait une jeune femme, comment peut-on aimer son enfant quand on ne s'aime pas soi-même?

Beaucoup trop de parents aussi ne comprennent pas qu'ils ont encore un comportement passif-agressif. Ils ne réalisent pas que même à leur âge, ils sont encore remplis d'une colère qui remonte à leur adolescence ou même à leur enfance. Cette colère n'ayant jamais été exprimée ni apaisée, est maintenant déversée, parfois à flot, sur leur conjoint et sur leurs enfants. Permettez-moi de vous conseiller ici de chercher à savoir quel est votre tempérament. Êtes-vous un parent «25» ou un parent «75»? Cette connaissance est d'un grand prix et elle vous permettra tout d'abord de vous accepter puis de comprendre pourquoi et comment vous réagissez face à votre enfant. Comprendre qui vous êtes peut vous aider à éviter une multitude de problèmes[3].

Les parents peuvent aussi s'occuper de leurs enfants exactement de la même manière dont leurs parents à eux se sont occupés d'eux, et cela même et surtout s'ils ont souffert sous leurs mains. Les mêmes erreurs se répètent souvent d'une génération à une autre. Ainsi après avoir eu quelques conversations avec la famille de Larry Schmidt, nous avons appris que Mr Schmidt, petit enfant, avait été maltraité par ses parents. Père de famille, il utilisait à son tour des châtiments corporels sévères pour punir ses enfants. Cet homme, tant qu'il n'aura pas compris combien la façon dont il a été élevé l'a démoli, continuera à être dur envers ses enfants et à trouver cela normal et juste. Si l'on veut être un bon parent, il est indispensable d'être conscient de ses propres faiblesses, de ses propres handicaps, de ses propres défauts.

Aimez-le inconditionnellement

Votre enfant, *peu importe* sa personnalité, la couleur de ses cheveux, sa taille ou les circonstances de sa conception et de sa naissance, vous devez l'aimer. Être aimer est son besoin le plus fondamental.

Écoutez l'histoire de Lori. C'est, si on lui applique les canons actuels de la beauté, une fille très ordinaire. Elle est de taille moyenne mais elle fait de l'embonpoint. Elle a une acné rebelle. Par contre sa mère est une très jolie femme et d'après Lori, elle a été une adolescente extrêmement populaire et belle. Elle a même gagné un concours de beauté à son école. Elle a été la mascotte d'une équipe sportive et reine des adolescentes. Lori se sent vraiment moche car elle se compare constamment à sa mère qui ne cesse de lui rappeler tous ses exploits passés et sa grande popularité.

Lori m'a dit:

«Ma mère me parle toujours de tous les amoureux dont elle devait refuser les invitations et de la façon admirable dont elle coiffait ses cheveux. Je crois qu'elle me parle toujours de ses cheveux car les miens sont comme ceux de mon père: fins et huileux.»

Lori est une «25» très effacée. Ce trait de sa personnalité et les sarcasmes constants de sa mère l'ont précipitée dans une profonde dépression. Elle s'est tournée vers les drogues pour soulager sa souffrance.

Un jour, elle m'a confié:

«Je ne crois pas que ma mère m'aime. Comment pourrait-elle m'aimer? Elle est belle et je suis laide. Elle était populaire à l'école et moi je n'ai qu'une seule véritable amie. Par-dessus tout cela, je n'ai jamais eu un seul amoureux.»

La mère de Lori est une femme égoïste. Elle ne s'est jamais souciée de connaître ni de comprendre sa fille. Elle ne lui a offert que peu d'amour et peu d'encouragement alors qu'elle en a tant besoin. Aucun adolescent, peu importe toutes ses qualités, ne peut se développer sainement s'il ne reçoit pas de la part de ses parents une bonne dose d'amour inconditionnel. Tous les adolescents souffrent d'insécurité, mais Lori en reçoit une double dose: d'une part, elle est une adolescente et d'autre part, sa mère ne cesse de la descendre. Il n'y a pas à s'étonner qu'elle soit en dépression!

Soyez un exemple vivant de ce que vous dites

Une troisième règle à suivre dans votre foyer et elle est extrêmement importante, est de faire en sorte que vos convictions soient évidentes. Si vous êtes chrétien, votre christianisme doit se voir et non s'entendre. Vous savez très bien que les enfants n'écoutent pas ce que vous dites: ils regardent ce que vous faites.

Petit, votre enfant aimera vous accompagner à l'église et participer aux diverses activités de sa communauté. À l'adolescence pourtant, il risque de se rebeller soudain et de refuser d'y aller. Le problème à ce moment-là, n'est pas tant sa rébellion contre les choses spirituelles que votre réaction à sa rébellion. Ne vous alarmez pas outre mesure. Continuez, vous, à fréquenter votre église avec régularité. Continuez à vivre votre foi selon vos convictions et tôt ou tard, votre adolescent vous imitera. Soyez patient, c'est important. N'utilisez ni menaces ni récompenses pour le forcer à aller à l'église. Vous ne ferez qu'affermir sa position et la prolonger jusque dans l'âge adulte. Attendez-le. Il ne fait que se rebeller parce qu'il est un adolescent et que les adolescents ont en général, le désir morbide de se rebeller contre une figure d'autorité quelconque. Avec le temps, il verra votre sincérité et elle le touchera. Il deviendra à son tour un adulte comme vous, aux croyances fortes et fermes. Votre réaction à la façon d'agir de votre enfant dans le domaine de la spiritualité est cruciale. Aussi longtemps qu'il sentira que vous l'aimez quand même, il conservera l'estime de soi. Un enfant qui a l'assurance que ses parents l'aiment, suivra leurs traces.

Communiquer avec son enfant

Les enfants sont bombardés par tant de situations génératrices de colère et de dépression, qu'ils ont besoin d'avoir l'écoute attentive de leurs parents. Ils ont besoin de pouvoir leur parler afin d'apaiser leurs peurs et leur colère. Encouragez votre enfant à vous parler. Dites-lui qu'il peut vous déranger tant qu'il en a besoin, mais ne le forcez jamais à parler. Il n'y a rien qui ferme aussi vite et aussi fort les portes de la communication qu'un parent qui essaie de tirer les vers du nez de son enfant.

Soyez patient. Tous les enfants détestent le silence et tôt ou tard, ils se mettent à parler. J'ai découvert qu'un long voyage en voiture donne à l'enfant le goût de parler. Bien sûr, il ne parlera pas de but en blanc de ce qui le tracasse, mais si vous savez attendre assez longtemps, vous finirez par connaître ses soucis.

Les adolescents veulent donner l'impression qu'ils n'ont pas besoin de leurs parents, mais les apparences, vous le savez, sont trompeuses. Ils ont besoin de vous et ils aspirent à ce que vous vous souciiez d'eux et que vous vous mêliez de leurs affaires. Comme je vous l'ai dit, les enfants qui vivent au sein d'une famille unie et heureuse, courent infiniment moins de risques de prendre des drogues.

Considérez tous les besoins de votre enfant

J'encourage tous les parents qui me consultent à comprendre que leurs enfants ont de nombreux besoins: des besoins psychologiques, des besoins émotionnels, des besoins physiques et des besoins spirituels. Un enfant dont tous les besoins physiques sont comblés mais dont on ignore les besoins affectifs et spirituels, deviendra un enfant à problèmes.

Pam est une jolie fille aux yeux bleus de 14 ans qui a pris un surdosage de drogues. Son père est un président-directeur général et sa mère est à la tête d'une compagnie en pleine expansion. Pam semble avoir tout ce qu'elle désire.

Ses parents sont très autoritaires et stricts. Ils lui disent tout ce qu'elle doit faire et ils exigent qu'elle le fasse. Pam n'a aucun droit de répliquer à ses parents et aucun droit de discuter avec eux. Elle n'a aucun droit de douter de ses parents ni de ses professeurs ou de poser des questions au sujet de leurs actions car, lui a-t-on dit, ils ont toujours raison. Elle n'a aucun droit de manquer l'église. Comme la moindre expression de la plus petite émotion est un signe de faiblesse, lui a-t-on dit, elle ne doit pas s'attendre à recevoir de compliments.

Comme je vous le disais, Pam semble avoir tout et pourtant, elle n'a rien. On ignore complètement ses besoins psychologiques, émotionnels et spirituels. On ne s'occupe que de ses besoins physiques. Pam n'arrive pas à se développer normalement avec une telle éducation. Pourtant ses parents croient sincèrement que leur attitude faite d'autoritarisme et de rigidité va la préparer à faire face à la vie. Ils ne s'arrêtent pas à penser qu'elle n'a aucune estime de soi. Ils ne pensent pas une seconde qu'elle a une vie spirituelle personnelle et unique à développer. Il est évident qu'ils ne considèrent pas leur enfant dans sa totalité. Avec de tels parents, Pam aura de la difficulté à vaincre sa toxicomanie.

Cette histoire me fait penser à une autre histoire. Un jour, un garçon est rentré de l'école et il a dit à son père: «Je t'aime». Dans sa famille, cette déclaration était quelque chose de tellement étrange que son père ne sût que répondre et il dit à son fils: «Qu'est-ce que tu as derrière la tête?»

Le garçon se mit à rire et répondit: «Oh! rien papa. C'est une expérience pour un de mes cours. Mon prof nous a demandé à tous de rentrer à la maison, de dire à nos parents que nous les aimions et de rapporter leurs réactions. Tu as réagi comme presque tous les autres pères: tu n'as pas su quoi dire.»

On a remarqué que les enfants, alors qu'ils entrent dans l'adolescence entre 12 et 14 ans, reçoivent de moins en moins de marques d'affection (mots affectueux et gestes affectueux) de la part de leurs parents[4]. C'est ironique mais c'est aussi tragique, car c'est au moment où ils en ont le plus besoin pour leur épanouissement que les enfants sont les moins dorlotés. Pourtant s'ils veulent que leurs enfants deviennent des adultes sains et tempérants, il est impératif que les parents leur manifestent leur amour sincère tous les jours.

J'aime le passage suivant[5]:

«Il est bon de serrer quelqu'un dans ses bras. Une étreinte allège la souffrance et soulage la dépression. Cela rend une personne en bonne santé plus saine, une personne heureuse plus heureuse et une personne confiante encore plus confiante.

Cela fait du bien de serrer quelqu'un dans ses bras. Cela permet de surmonter la peur, de faire baisser la tension et fournit un exercice utile d'élongation à celui qui est petit et d'inclinaison à celui qui est grand. Oui, serrer quelqu'un dans ses bras ne bouleverse pas l'environnement, économise de la chaleur et n'exige aucun équipement spécialisé. Cela rend les jours heureux encore plus heureux et les jours impossibles, possibles.»

Quelle déclaration formidable! Et qui pensez-vous a plus de jours impossibles qu'un adolescent? N'a-t-il donc pas besoin d'être serré chaque jour dans les bras d'un parent qui l'aime?

Intervenir tôt est crucial

Il est finalement extrêmement important, si l'on veut réussir l'éducation de son enfant, d'intervenir aussitôt qu'un problème est suspecté. Chaque enfant est unique et aucun parent ne peut faire un travail parfait. Mais tous les parents peuvent agir dès qu'ils sentent qu'un problème existe. Leur intervention précoce leur sauvera des années de peine et de misère.

Il y a 15 ans, je n'aurais probablement pas insisté autant sur l'absolue nécessité d'agir tôt. J'aurais plutôt conseillé aux parents de veiller à bien combler tous les besoins de leur enfant et j'aurais eu l'assurance que leur enfant surmonterait son trouble et serait bientôt en forme physique et psychique.

Aujourd'hui les tout jeunes enfants connaissent déjà tant de problèmes (séparation presque immédiate d'avec la mère dès la naissance, gardiennes multiples, crèches, garderies d'état, heures de solitude, heures passées devant la télévision, etc.) que je voudrais que chaque enfant soit examiné dès son entrée en première année. Imaginez la quantité de problèmes que nous pourrions détecter et tuer dans l'œuf! Lorsqu'un problème, même mineur, est dépisté précocement, on peut immédiatement mettre sur pied un programme d'action et éviter des années de souffrance. Il vaut mieux pécher par excès de prudence que d'attendre qu'un problème ait pris de l'ampleur. Par exemple, il est beaucoup plus facile d'aider un enfant de 12 ou 13 ans qui goûte à la drogue qu'un enfant de 14 ou 15 ans qui est déjà dépendant. Les enfants de 16 à 18 ans sont encore plus difficiles à rattraper.

En tant que parent et conseiller, nous avons du travail par-dessus la tête. Il est bouleversant de voir combien un problème peut devenir complexe en seulement une année. Nous devons constamment être sur un pied d'alerte avec nos enfants. Le meilleur foyer pour un enfant est un foyer stable où il reçoit une abondance d'amour inconditionnel chaque jour. Si tous les parents pouvaient et voulaient aimer ainsi leurs enfants, environ 80 p. 100 de *tous* les problèmes de l'enfance pourraient être évités. Puis en apprenant à reconnaître les signes des difficultés de l'apprentissage scolaire, de la dépression et du comportement passif-agressif, on pourrait éliminer encore 10 à 20 p. 100 des problèmes de l'enfance. Ne serait-ce pas merveilleux?

Aider votre enfant à dire non

L'alcool et les drogues constituent un problème national majeur. Nous devons tous regarder la réalité en face et comprendre qu'à un moment ou à un autre, tout enfant se cognera aux drogues et qu'il devra alors prendre la décision d'y toucher ou de ne pas y toucher. Nous devons aider nos enfants à se préparer à une telle rencontre.

Quelqu'un a placé cette liste sur mon bureau l'autre jour. Certaines de ces déclarations sont drôles, d'autres sont assez sérieuses mais elles pourraient toutes, dans une circonstance ou une autre, aider votre enfant à dire non merci à une offre de drogues ou d'alcool.

1.   «Mes parents restent debout jusqu'à ce que je rentre, et ils respirent mon haleine chaque soir.»

2. «Si je suis attrapée, ma mère m'a promis de me priver de mon séchoir à cheveux!»
3. «Je suis allergique.»
4. «Boire ou prendre des drogues, ça me donne des boutons!»
5. «Je ne veux pas diminuer mes chances d'avoir des enfants sains quand je me marierai.»
6. «Les amis qui prennent des drogues ensemble n'ont pas une véritable amitié. Tout ce qui les tient ensemble, c'est la drogue.»
7. «Je ne veux pas enrichir le monde de la drogue. Il y a de fortes méchantes gens dans ce commerce.»
8. «Je vais devenir un alcoolique. C'est un problème qui court dans ma famille.»
9. «C'est contre ma religion.»
10. «J'ai déjà essayé une fois, et ça m'a rendu malade.»

Voici encore des conseils émis par une organisation anti-drogues qui viennent compléter ceux que je vous ai déjà donnés[6].

• En tant que parent, vous devez dire à vos enfants que vous ne voulez pas qu'ils touchent à l'alcool ou à la drogue. Les enfants doivent savoir ce que vous exigez d'eux. Une étude a révélé que les enfants qui se droguaient répondaient avec moins d'inquiétude que les enfants abstinents à la question: «Vos parents seraient-ils bouleversés si en rentrant d'une surprise-partie, ils découvraient que vous aviez bu?»

• Vous devez associer vos enfants à votre vie. Plus un enfant participe à des activités adultes avec des adultes, moins il risque de toucher à la drogue.

• Vous devez apprendre à votre enfant à se conduire en société en lui enseignant à se faire de bons amis, à communiquer ouvertement et directement, à prendre des décisions intelligentes et à dire non quand il subit la pression de ses pairs. Tout cela s'apprend naturellement dans une famille où règne l'amour et la confiance.

• Vous devez apprendre à votre enfant à avoir des valeurs personnelles. Les adolescents qui sont abstinents si on les compare à ceux qui ne le sont pas, ont un but précis dans la vie: Ils veulent achever leurs études; ils désirent se consacrer à des œuvres humanitaires; ils ont plus confiance dans l'avenir; ils n'ont pas peur d'affirmer leur foi et ils sont plus capables de résister au désir de satisfaire immédiatement leurs besoins.

Voilà les composantes d'un style de vie débarrassé du fardeau des drogues. Il est évident que ce style de vie sera le résultat d'une éducation familiale équilibrée et aimante. Offrez à votre adolescent un foyer stable et la possibilité de travailler au sein de sa communauté afin de promouvoir une société sans drogues, et vous pouvez être sûr qu'il ne touchera pas aux drogues. Ce n'est pas facile mais c'est terriblement important.

Je suis toujours attristé lorsque je lis des statistiques comme celles que je vous ai citées au numéro 9 du questionnaire au début de ce chapitre. Des enfants de 11, 12, 13 et 14 ans qui non seulement boivent mais qui s'enivrent! Quelle tragédie! Mais je ne veux pas perdre espoir et je veux croire que l'on peut démolir ces statistiques.

Vous vous souvenez de Johnny Alton? Grâce à l'amour, à la détermination et à l'intérêt profond de sa mère ainsi que son propre désir de surmonter sa dépendance, Johnny Alton va bien. Nous travaillons avec son école et ses professeurs et nous recevons leur entière collaboration. Johnny ne sait pas mieux lire, mais il est en train d'apprendre à surmonter son handicap.

Et puis, vous vous rappelez de Larry Schmidt? Son père avait beaucoup de difficultés à accepter toute cette situation. Eh! bien, il n'a pas cessé de venir à nos consultations et finalement, il s'est mis à comprendre la maladie de son fils. Je suis très heureux de vous annoncer que cette famille a fait des pas de géant vers une vie meilleure.

Peggy Williams et sa famille vont bien aussi. Tout d'abord Mme Williams croyait qu'elle était l'unique cause de la toxicomanie de sa fille. C'est en parlant ensemble qu'elle a saisi l'aspect global de son problème. Elle et ses filles ont énormément profité de leur participation sincère au traitement de Peggy.

Maintenant vous le savez: Je presse tout parent de traiter et de chercher en tout premier lieu, *les causes* de la toxicomanie de leur enfant et seulement après de s'attaquer au problème de la dépendance physique. Il faut traiter l'enfant dans toute sa personne et l'aider à comprendre pourquoi il s'est mis à toucher aux drogues. Ce n'est qu'à ce prix qu'il retrouvera la santé. Mais il ne sera pas le seul bénéficiaire de cette démarche. Tous les membres de la famille en profiteront et apprendront à mieux connaître leur personnalité. Ce genre de traitement est aussi une assurance qu'ils resteront abstinents et éviteront le mirage des drogues. Quand tout le monde travaille ensemble, des familles entières sont sauvées.

Oui, c'est vrai, je suis très inquiet au sujet de ce raz-de-marée que sont les drogues dans notre société, mais je garde bon espoir car j'ai confiance en vous, parents. J'ai confiance que vous aimerez vos enfants, que vous vous soucierez d'eux et que vous ferez tout en votre pouvoir pour les aider à vivre une vie saine, libérée de l'esclavage hideux des drogues. C'est pour des parents tels que vous que j'ai écrit ce livre.

1. Wilson, S. O., Points to Ponder, *Reader's Digest*, p. 181, February 1986.
2. *Source*, Vol. II, No. 3, Search Institute, August 1986.
3. Pour une étude approfondie des tempéraments voir: *L'enfant et sa nutrition*, p. 145-181, Orion, Québec, 1988.
4. *Young Adolescents and Their Families*, Search Institute Project Report, p. 31, 1984.
5. *Reader's Digest*, To Arms, p. 166, August 1987.
6. Search Institute, *Source*, 1986.

Appendice 1

La cocaïne:

Ce que tout parent doit savoir

Jusqu'à récemment, on considérait la cocaïne comme une drogue relativement inoffensive. Bien que les agents officiels de la santé ne la considéraient pas sans danger, ils pensaient que les problèmes sociaux apparentés à l'usage de la cocaïne ne concernaient pas la majorité des familles américaines. Quant aux parents, ils pensaient que la cocaïne pouvait être le problème des célébrités du cinéma ou du sport, mais non celui de leurs enfants. Par contre, aujourd'hui, nous savons que *la cocaïne est une substance intoxicante qui provoque une forte dépendance aux conséquences fatales pour la santé.*

La mort, dernièrement, d'un certain nombre d'idoles du sport et d'autres stars a changé radicalement cette perception de la cocaïne. Des recherches ont démontré que même des petites doses, des doses dites récréatives, de cocaïne peuvent provoquer des perturbations dangereuses et potentiellement fatales du rythme cardiaque chez des usagers, selon toute apparence, en parfaite santé. En peu de mots, la cocaïne n'est pas inoffensive, elle peut vous tuer.

Qu'est-ce que la cocaïne?

La cocaïne est un alcaloïde extrait des feuilles de l'Erythroxylum, une plante cultivée en Amérique du Sud. La plante peut atteindre entre 0,90 et 1,80 mètre de hauteur et fournir jusqu'à 130 g de feuilles au cours de la meilleure des quatre récoltes annuelles. Chaque feuille à l'aspect ciré et de forme elliptique offre environ 1 p. 100 de son poids sous forme de cocaïne.

La cocaïne, une poudre inodore de cristaux blancs, a fait son apparition dans le monde médical américain et européen au milieu du 19e siècle. Elle fut alors considérée comme un médicament miraculeux et inoffensif, utile dans une foule de maladies physiques et psychologiques.

Avec le temps cependant, la cocaïne perdit son auréole et le corps médical réussit à limiter son usage abusif. Aujourd'hui la cocaïne est inscrite au tableau B: Elle est classée parmi les stupéfiants ou les substances dites toxicomanogènes. Sa fabrication légale, sa vente et son usage médical subissent un contrôle serré. On ne l'utilise plus en médecine que comme un anesthésique en chirurgie oculaire ou en proctologie (partie de la médecine traitant des maladies de l'anus ou du rectum).

Chaque année, un nombre croissant d'adolescents se mettent à utiliser de la cocaïne. Alors que l'on continue à enregistrer chez les jeunes une diminution de l'usage global des drogues illicites depuis 1980, l'usage de la cocaïne est à la hausse.

En 1975, l'Université du Michigan avait publié une étude révélant que 9 p. 100 des élèves de la fin du secondaire (High School Seniors) avaient utilisé de la cocaïne à un moment ou à un autre de leur vie*. Dix ans plus tard, on apprenait que 17 p. 100 des élèves au secondaire avaient touché à la cocaïne. En 1986, 13 p. 100 des élèves au secondaire rapportaient qu'au

---

* Ce chiffre n'englobe pas les dropés et donc ne révèle pas leur usage de la drogue. La réalité est que probablement un nombre plus élevé que ça d'enfants font usage de la cocaïne.

cours des douze derniers mois de l'année, ils avaient pris de la cocaïne alors qu'en 1975, seulement 7 p. 100 avaient eu une réponse affirmative.

En 1985 et 1986, le nombre d'élèves avouant qu'ils étaient des consommateurs quotidiens a doublé: de 0,2 à 0,4 p. 100. On a aussi pu observer que les drogués à la cocaïne englobaient tant les garçons que les filles, les étudiants que les non-étudiants, les ruraux que les citadins et cela dans toutes les régions des États-Unis.

Une enquête a permis de tracer le portrait-robot de l'adolescent typique cocaïnomane: il est caucasien (83 p. 100); c'est un garçon (68 p. 100); il a environ 16,2 ans. Un tiers vient de familles au revenu annuel de plus de 25 000 dollars (125 000 FF); beaucoup viennent de la classe moyenne et haute. La voie d'administration de la drogue pour presque neuf adolescents sur dix est par prises nasales, 10 p. 100 la fume et 2 p. 100 se font des injections. Pour contrecarrer les effets désagréables de la cocaïne, 92 p. 100 des adolescents utilisent de la marijuana, 85 p. 100 de l'alcool, 64 p. 100 des médicaments sédatifs et 4 p. 100 de l'héroïne.

On a longtemps pris pour acquis que le prix élevé de la cocaïne empêcherait les adolescents d'y toucher. Par contre récemment, son coût a brusquement diminué. Dans certains centres urbains très peuplés, son prix a baissé du tiers en seulement deux ans et la cocaïne est maintenant accessible à un grand nombre qui auparavant ne pouvait pas se la payer. À New York, 1 g de cocaïne suffisant pour dix doses, se vend dans la rue, environ 80 dollars (400 F). La plupart des adolescents savent où se procurer de la cocaïne et un groupe d'amis peut rassembler des fonds pour se payer une défonce. Certains vendeurs offrent la cocaïne en doses plus petites qu'un huitième de gramme, ce qui permet à un adolescent qui le veut vraiment de s'en offrir pour 10 dollars (50 F).

Les formes de la cocaïne

La poudre. On l'aspire par le nez. On la prise. On place une petite quantité de poudre sur un miroir ou sur une autre surface plane. On hache la poudre avec une lame de rasoir pour éliminer tout flocon ou tout grumeau puis on la façonne en lignes ou rails de 3 à 5 cm de long et de quelques millimètres de large. La cocaïne est alors inhalée avec une paille ou un billet enroulé. Chaque ligne permet de prendre 25 mg de cocaïne qui seront absorbés à 60 p. 100 par les muqueuses du nez. Le flash se fait 15 à 20 minutes après la prise pour disparaître 60 à 90 minutes plus tard. Il faut du temps pour que la cocaïne prisée pénètre dans les vaisseaux sanguins qui tapissent le nez, d'où un effet plus progressif sur le cerveau.

La pasta. On la fume avec du tabac ou de la marijuana et elle produit un effet euphorisant intense similaire à celui que produit une injection de cocaïne ou d'amphétamine.

Le free-basing. On le fume. C'est une cocaïne beaucoup plus pure que la pasta et dont l'usage est presque aussi dangereux que les injections. Le free-basing consiste à mélanger la cocaïne avec un solvant (de l'éther surtout) et à la chauffer pour reconvertir le chlorhydrate de cocaïne en sulfate de cocaïne. La cocaïne-base ainsi obtenue est alors beaucoup plus pure que la «pasta» d'Amérique du Sud. En effet, un bon nombre d'impuretés ont été éliminées au passage. Fumer du free-basing produit un flash plus intense mais plus court que toute autre forme d'emploi. Les molécules actives absorbées à pleins poumons passent là, instantanément dans le sang et atteignent très rapidement les cellules nerveuses du cerveau. Prendre de la cocaïne sous cette forme entraîne rapidement des symptômes psychologiques qui, à cause de leur gravité, exigent très souvent l'hospitalisation.

Le rock. Populaire dans les années 70, cette cocaïne se présente sous la forme d'un petit morceau de chlorhydrate de cocaïne que l'on croyait, à tort, libéré de toutes ses impuretés. On l'utilise pour des prises nasales.

Le crack. Nouveau venu sur le marché américain, il est apparu en 1985. Son usage d'abord limité à l'Est des États-Unis, a rapidement pris les proportions d'une véritable épidémie qui n'épargne pas les milieux les plus ruraux ni les plus pauvres. Son succès foudroyant parmi les adolescents s'explique par le fait que:

— il est peu cher et facile à faire. On mélange du chlorhydrate de cocaïne à du bicarbonate de soude et à de l'eau. Ce mélange donne une pâte qui une fois durcie, est brisée en petits morceaux qui ressemblent à des paillettes de savon. Les professionnels en font des capsules qu'ils vendent pour 10 à 15 dollars chacune et dont les effets sont violents. Le crack a la même force que le «free-basing» mais il n'est pas dangereux à faire. Il n'y a pas de risque d'explosion et de feu comme dans la fabrication du «free-basing» qui exige l'usage de solvants, produits hautement inflammables;

— il procure un flash intense. Cette forme de cocaïne est 5 à 10 fois plus puissante que la poudre. Elle atteint le cerveau en moins de 10 secondes. L'euphorie qui en résulte dure de deux à vingt minutes, mais la descente est atrocement brutale. L'euphorie disparaît aussitôt. Alors pour la retrouver, on fume sur le champ une nouvelle cigarette. La dépendance, inévitablement, s'installe très vite.

Les injections. Certains cocaïnomanes s'injectent la cocaïne sous la peau, dans un muscle ou dans une veine. C'est finalement la voie d'administration préférée car elle permet l'absorption à 100 p. 100 de la drogue. Le résultat en est un flash intense qui atteint un pic en 3 à 5 minutes et dure 30 à 40 minutes.

L'utilisation de la voie veineuse entraîne des complications infectieuses qui sont liées à l'absence de règles d'hygiène. L'utilisation par plusieurs personnes de la même seringue crée les conditions idéales de contamination et de transmission des virus de l'hépatite B et du SIDA. Chez les toxicomanes, le nombre de sujets ayant été en contact avec le virus VIH (porteurs sains) est actuellement très élevé. Une statistique récente faite à l'Hôpital Sainte-Anne de Paris donne un taux proche de 60 p. 100 de patients toxicomanes séropositifs. Il n'était que de 10 p. 100 il y a deux ans, ce qui implique une progression fulgurante[1]. On sait que le SIDA est une maladie incurable. C'est une affection fatale.

Autres formes. La cocaïne est aussi mangée ou frottée sur les gencives pour son goût et la sensation d'engourdissement qu'elle procure.

Les effets

La cocaïne peut être absorbée par n'importe quelle muqueuse du corps puis transportée par le sang au cœur, aux poumons et au reste du corps. Respirée, elle atteint le cerveau et les neurones du système nerveux sympathique en 3 minutes; injectée elle l'atteint en 15 secondes; fumée en 7 secondes. Le toxique est rapidement métabolisé par le sang et le foie. Son action sur le système nerveux sympathique imite la réaction de lutte ou de fuite du corps devant une menace.

La cocaïne est un vasoconstricteur. Elle rétrécit les vaisseaux sanguins. Le rythme cardiaque, la pression sanguine, la respiration et le métabolisme sont accélérés. L'appétit du toxicomane disparaît et son sommeil aussi. La cocaïne stimule le cortex cérébral qui gouverne l'activité mentale responsable de la mémoire et du raisonnement et l'hypothalamus qui gouverne l'appétit, la température corporelle, le sommeil et certaines émotions.

Les effets de la cocaïne ressemblent à ceux des amphétamines. En fait, lorsqu'on les soumet à des expériences, les sujets étudiés n'arrivent pas à distinguer à quelle drogue ils sont soumis, quand on les emploie en petites doses. Les effets des amphétamines, par contre, durent plus longtemps.

L'euphorie extrême que la cocaïne entraîne ressemble à celle que produit une stimulation électrique directe des centres du plaisir du cerveau. Mais c'est la loi, tout ce qui monte doit redescendre, et avec la cocaïne, plus l'euphorie a été intense plus la descente sera profonde.

L'euphorie disparaît graduellement avec les prises nasales, mais brusquement quand la cocaïne est injectée ou fumée. Les fumeurs sont assaillis à chaque descente de sensations d'énervement, d'irritabilité et de déprime. Cette alternance ininterrompue d'euphorie et de déprime provoque rapidement de très sévères troubles psychologiques qui se traduiront par des comportements suicidaires ou des actes de violence incontrôlés. Ces troubles peuvent conduire les fumeurs très accrochés jusqu'aux états hallucinatoires ou aux psychoses paranoïaques.

La cocaïne vendue en Amérique est plus pure aujourd'hui qu'en 1978. Son prix est moins élevé qu'en 1977. On considère que la dose fatale pour un adulte de taille et de poids moyens est de 1,2 g. Par contre, récemment, des individus sont morts foudroyés par une seule dose de cocaïne de 20 mg.

Les symptômes liés à l'usage de la cocaïne

Il y a des signes très suggestifs de l'usage de la cocaïne:

- reniflements fréquents ou frottement du nez
- perte de poids importante en un rien de temps
- crachats de mucus noir
- douleurs mystérieuses à la poitrine
- hypertension
- désordres vasculaires
- désintérêt envers les amis, les sports ou les passe-temps habituels
- dégringolade des notes à l'école
- symptômes de dépression
- anxiété, irritabilité, angoisse, insomnie
- hallucinations sensorielles

Un surdosage peut causer la mort. Il y a risque d'accidents au cours de l'euphorie. Un suicide peut survenir au cours de la descente.

Les symptômes du sevrage

- dépression
- repli sur soi
- désir obsédant de la drogue
- tremblements
- frissons
- douleurs musculaires
- crises de boulimie
- léthargie

Les symptômes du sevrage sont pour certains tellement pénibles qu'ils préfèrent retourner à la drogue.

La prévention

Il faut apprendre à nos enfants à reconnaître les pressions qui s'exercent sur eux pour les amener à faire usage de drogues et à leur opposer un non puissant. Pour cela, il est indispensable de construire chez eux une saine estime de soi. Il est essentiel de leur faire comprendre que la toxicomanie n'a pas seulement des effets psychiques et que la fameuse «overdose» n'est pas la plus fréquente cause de mort du drogué. La prise répétée de toxiques licites ou illicites a des effets multiples sur la santé qui représentent des dangers graves de déchéance physique et qui favorisent certaines maladies virales incurables comme l'hépatite et le SIDA.

Le traitement des cocaïnomanes

Il faut tout d'abord cesser la consommation de tous les médicaments, de toutes les drogues et de l'alcool sous toutes ses formes. Le traitement va très souvent exiger l'hospitalisation, surtout lorsqu'il s'agit d'un consommateur de crack, car avec cette drogue le désir obsédant est extrêmement obsédant et les problèmes psychiatriques et médicaux qui surviennent sont très graves. Après une désintoxication physique, il est essentiel de soumettre le patient à une psychothérapie, de lui offrir des groupes de soutien et d'impliquer sa famille dans son traitement. L'ex-drogué doit rester sous surveillance longtemps après une thérapie initiale si on ne veut pas qu'il rechute.

Le traitement d'un cocaïnomane en clinique externe exige un programme quotidien extrêmement bien structuré et intensif, l'implication étroite de toute la famille et des tests d'urine au minimum trois fois par semaine. On ne peut pas utiliser de méthadone ni faire une désintoxication progressive.

Pour plus d'informations pour le traitement d'un enfant drogué à la cocaïne, consultez votre pédiatre ou votre médecin de famille[2].

Appendice 2

La marijuana

Beaucoup d'adolescents parlent de la marijuana comme d'une herbe naturelle et inoffensive. Oui, la marijuana, c'est naturel, oui, c'est une herbe, mais non, elle est loin d'être inoffensive. En vérité, c'est la drogue illicite la plus complexe chimiquement.

La marijuana aussi appelée herbe ou marijeanne, joint ou kif, vient de la plante *Cannabis sativa*. Il existe de multiples préparations de marijuana: cannabis ou chanvre indien; l'herbe ou marijeanne qui est un mélange de feuilles et de sommités fleuries; la résine ou haschisch qui est soit un conglomérat de poudre de feuilles et de résine, soit de la résine pure en plaquettes ou en cubes; l'huile. Elle est incorporée dans du tabac. Son usage se fait en groupe (initiation) ou il est solitaire.

Comment la mari affecte-t-elle le corps?

Dans les années 70, on pensait réellement que la marijuana était inoffensive. Cela a amené des groupes à agir en faveur de la décriminilisation et même la légalisation de cette drogue. Évidemment la publicité en faveur de sa soi-disante inocuité était basée sur des études peu probantes, sans compter le fait qu'il y avait encore peu de fumeurs et que la marijuana d'alors était beaucoup moins puissante que celle d'aujourd'hui. Il y a maintenant de nombreux chercheurs, psychiatres, psychologues, docteurs, conseillers, éducateurs et ex-usagers qui témoignent de ses dangers et de sa toxicité.

On sait donc que cette plante comporte 426 composés chimiques dont plus de 60 sont des cannabinoïdes, des composés liposolubles hydrophobiques à l'origine des effets caractéristiques de la drogue. C'est le THC qui produit l'effet d'euphorie et de bien-être qu'elle procure. Quand on fume de la marijuana, sa combustion transforme les 426 composés chimiques en 2000 composés chimiques, puis quand le corps essaie de les métaboliser, il en produit des centaines d'autres. Des études récentes ont démontré qu'après une seule prise de la drogue, 10 à 30 p. 100 du THC absorbé reste dans le corps jusqu'à trente jours après. Un usage répété entraîne une accumulation de plus en plus importante de ce produit toxique dans les tissus graisseux du corps. Cette accumulation, lorsqu'elle atteint de fortes concentrations, peut détruire les cellules du corps.

Les fumeurs de marijuana ont:

- les yeux rouges
- la bouche et la gorge sèches
- un abaissement de la température corporelle
- une accélération du rythme cardiaque
- de la boulimie

En plus, le THC affecte les hormones qui contrôlent le développement sexuel, la fertilité et le fonctionnement sexuel, tant chez les garçons que chez les filles.

Chez les garçons, on observe un abaissement de la testostérone, la principale hormone mâle, un amoindrissement de la numération des spermatozoïdes, une augmentation des formes anormales dans le sperme et dans quelques cas, le développement des seins.

Chez les filles, le cycle menstruel est perturbé et dans certains cas, il n'y a plus d'ovulation. Les bébés des fumeuses de marijuana ont des réflexes visuels modifiés, des tremblements prononcés et un cri aigu semblable à celui des bébés des droguées à l'héroïne ou à la méthadone.

La drogue altère aussi la mémoire courte, le sens du temps et réduit la capacité de faire des tâches qui exigent de la concentration, des réactions vives et de la coordination. Des doses élevées entraînent des distortions de l'image et des hallucinations. L'utilisation fréquente ou régulière n'est pas compatible avec la poursuite des études.

Alors que la marijuana ne cause pas directement des problèmes mentaux comme de nombreuses autres drogues, elle semble amener à la surface des problèmes émotifs enfouis et déclencher des problèmes encore plus graves. Les gens qui sont en dépression ou qui souffrent d'autres troubles émotifs voient une aggravation de leur état. Aux États-Unis seulement, plus de 5000 personnes par mois recherchent de l'aide professionnelle pour des problèmes strictement reliés à leur usage de la marijuana.

L'effet le plus troublant de la marijuana est probablement sa capacité d'entraver la maturation d'un enfant et sa transformation en un adulte indépendant. Cette drogue freine l'apprentissage en diminuant les facultés intellectuelles et de mémoire. La compréhension d'un texte, l'habileté à s'exprimer, la capacité de calculer sont affectées. Cette drogue empêche aussi l'acquisition d'aptitudes sociales et encourage une forme de fuite psychologique. Or les adolescents ont besoin d'apprendre à prendre des décisions, à faire face aux échecs et au succès et à acquérir des valeurs et croyances personnelles.

En lui permettant d'échapper à la réalité de son adolescence, la marijuana empêche un jeune de mûrir et d'acquérir indépendance et sens des responsabilités.

Que pouvez-vous faire?

Lorsqu'un membre d'une famille prend de la drogue, toute la famille en est affectée à des degrés divers. Beaucoup de parents, chacun à leur manière, cherchent en conséquence à supporter le problème. Pourtant supporter n'arrange rien. Pour obtenir de véritables résultats, les parents doivent reconnaître qu'il existe dans leur famille un problème de drogue, puis ils doivent ne pas cacher la douleur et la souffrance que celui-ci leur cause ainsi qu'aux autres membres de la famille, et enfin ils doivent s'unir dans un effort acharné pour aider leur drogué à s'en sortir.

S'il existe quelques adolescents qui arrivent eux-mêmes à se tirer du pétrin des drogues, il est peu probable qu'ils arrivent à prendre une telle résolution sans aucune aide professionnelle quelconque. C'est pourquoi si vous soupçonnez que votre enfant fume de la marijuana, recherchez l'aide de quelqu'un qui s'y connaît en dépendance chimique et en réhabilitation.

De plus, téléphonez à tous les parents des amis de votre enfant et discutez ensemble de ce que vous pouvez faire pour aider vos enfants à se tenir loin des drogues. Ce regroupement des parents est une méthode extrêmement efficace de lutte contre les drogues et de prévention. Discutez entre vous de ce que vous considérez comme acceptable et inacceptable dans leur conduite et entendez-vous pour définir quelles seront les conséquences de leur violation de vos règles.

Le problème de la drogue ne pourra se résoudre que lorsqu'il n'y aura plus de consommateurs. Cet effort commence au foyer. Ce n'est pas une tâche facile mais vous pouvez réussir.

Saviez-vous que[3]:

- un fumeur de marijuana sur trois devient un fumeur quotidien?

- entre 12 et 14 ans, presque tous les enfants américains sont confrontés au choix de fumer ou de ne pas fumer de la marijuana?

- 50 p. 100 des élèves au secondaire ont fumé de la marijuana au moins une fois et qu'un élève sur 18 en fume chaque jour?

- plus le fumeur de marijuana est jeune, plus il fumera longtemps et fortement?

- des 426 composés chimiques que recèle la marijuana, 103 sont des terpines, des substances très irritantes pour les poumons?

- les bébés exposés au THC au cours de la grossesse, ont des anomalies subtiles du développement?
- la marijuana d'aujourd'hui est 14 à 20 p. 100 plus forte que celle des années 60?
- 60 à 80 p. 100 des fumeurs de marijuana avouent qu'ils conduisent à l'occasion en état d'euphorie?

Appendice 3

Les autres drogues

Les stupéfiants

Opium
- Latex
- Préparations pharmaceutiques comme l'élixir parégorique, un antidiarrhéique
- Morphine
- Codéine, codéthyline: antitussifs et antalgiques

Antalgiques de synthèse aux effets morphiniques
- Spécialités médicamenteuses

Héroïne
- Diacétylmorphine — peut être diluée avec des sels de plomb
- Brown Sugar — peut être mélangé avec de la strychnine

Les enivrants

Alcool éthylique
- Boissons alcoolisées

Éther

Solvants pour usage domestique
- Produits pour dégraissage

Colles
- Dissolution et autres

Les excitants majeurs

Erythroxylum Coca   • Feuilles
Alcaloïde   • Cocaïne (neige, blanche, coke, coco...)
Amphétamine   • Médicaments

Les excitants mineurs

Tabac   • Feuilles, cigarettes, cigares
Café – Thé – Chocolat   • Dérivés xanthiques, médicaments, boissons diverses
Anorexigènes   • Médicaments

Les sédatifs

Barbituriques   • Médicaments hypnotiques
Benzodiazépines   • Médicaments hypnotiques et anxiolytiques

Les enivrants et/ou hallucinogènes

THC   • Multiples préparations de cannabis ou chanvre indien
                        • L'herbe ou marijeanne
                        • La résine ou haschisch
                        • L'huile

Les hallucinogènes

LSD   • Acide
Phencyclidine   • Poussière d'ange, PCP
Médicaments antiparkinsoniens • Comprimés
Solanacées (Dentura stramonium) • Atropine — Scopolamine Médicaments renfermant des alcaloïdes des solanacées

1. *Science et Vie*, No 160, Septembre 1987.
2. On peut consulter avec profit le livre *Mon «petit» docteur*, Alcoolisme, Toxicomanies, Usage de drogues et Intoxications médicamenteuses, p. 198 à 222., p. 279 à 294, Orion, 1985.
3. *What Parents Must Learn About Marijuana*, National Federation of Parents for Drug-Free Youth, 8730 Georgia Avenue, Suite 200, Silver Spring, MD 20910. U.S.A.

Table des matières

Achevé d'imprimer à Montmagny
par les travailleurs des ateliers Marquis Ltée
en janvier 1989

Imprimé au Québec